图像+联想+幽默+1000个常用单词=
史无前例的爆笑联想英语学习法！！！！！

别 笑！
我是英文单词书

Don't Laugh!
I'm An English Book

韩国超级幽默单词大师 文德／著 权润珠／图

孙鹤云 尚馨／译

哇！不用埋头苦背，单词就已经刻在脑子里了耶！

一看就懂，一学就会，而且印象深刻，让你想忘都忘不了。

一本超级逗乐、可以轻松学习的、由词汇专家文德精选1000个最实用日常词汇的英语书。

中国档案出版社

总　策　划／马双才

责任编辑／郭　年

执行编辑／王　庆

封面设计／阿　荣

图书在版编目（CIP）数据

别笑！我是英文单词书／（韩）文德著；权润珠插图；孙鹤云　尚馨译.

北京：中国档案出版社，2006.12

ISBN 7-80166-790-5

Ⅰ.别…　Ⅱ.①文…②权…③孙…④尚…　Ⅲ.英语—词汇—自

学参考资料　Ⅳ.H313

中国版本图书馆CIP数据核字（2006）第136238号

版权合同登记号　图字：01-2006-6753号

DON'T LAUGH! I'M AN ENGLISH BOOK,ISBN:89-5924-602-6 Text by Duksik Moon(文德）
Illustration by Yoonjoo Kwon（权润珠）
The Original Korean edition ©2005 published by Random House Korea
The Chinese Simplified Language Translation©2007 by China Archives Press by
arrangement with Random House Korea Seoul,Korea through EntersKorea Co.,Ltd.
All rights reserved.

别笑！我是英文单词书

出版／中国档案出版社（北京市宣武区永安路106号　100050）

发行／新华书店

印刷／北京鑫丰华彩印有限公司

规格／889×1194　1/24　印张／9　字数／150千字

版次／2007年2月第1版　2007年2月第1次印刷

定价／29.80元

推荐

不落俗套又有趣的英语单词书

如果把用以了解大学生英语水平，并能达到日常沟通目的所需要的词汇称为必修词汇Educated Vocabulary的话，这本书可以说是最系统化的必修词汇入门指南了。书中从"人与生物"开始，包含了形容"情感和性格"的词汇，更是多角度、全方位归纳了日常生活中的常用词汇。仅是从数千个必修词汇当中挑选出最常用的1000个就已经很困难了，竟然还能将这些词汇不落窠臼地以故事化的手法制造出学习的趣味性，对于作者这样的才华我佩服不已。除了最起码应该具备这种英语程度的大学生之外，想以更系统化的方式吸收词汇的高中生，或对学习英语有心理负担的社会人士而言，这是一本再合适不过的自学工具书了，在此我强力推荐。

李正浩
首尔大学英语文学系教授

1

原来英文单词书也可以这么逗乐！

我能够预见阅读本书的读者是多么得"津津乐道"，因为本书有着丰富的内容，每每翻阅之时都会让你忍不住的会心一笑。以小说般丰富生动的故事情节巧妙整合日常生活中实用的英语单词,并配以幽默的漫画插图,使读者在轻松愉快的氛围中学习、记忆单词，是本书的特色所在。

我确信阅读本书的各位读者,特别是初学者,不仅可以看到书中每一页逗乐的漫画、了解一些最基本的西方文化,更能学到关于英语的许多知识。

Richard Harris

Richard Harris

出生于加拿大安大略省首府多伦多市，曾经在麦吉尔大学 Mcgill University（Montreal, Canada）专攻政治学。过去曾在成均馆大学 Sungkyun Kwan University 教授英语会话，并且也曾在 EBS 与 Arirang TV 等多个节目中担任主讲。

亲自撰写并参与编辑的著作有《Expats Uncover the Mysteries of Korea》等多部作品。目前以外国人为对象教授韩语文法、词汇和听力。

就连叔叔、阿姨都忍不住一口气读到尾的英语学习书

"我知道的单词太少，所以英语不好"，一定有不少人都曾有过这样的想法吧？想说什么可是连一个单词都想不起来；想读几篇英语文章，可刚看了几行就卡住了……大家对英语的复杂心绪，从现在起，统统都交给文德就对了。别急着死记硬背，各位读者只需要带着愉快的心情去阅读就可以了。一边咯咯地笑着，一边翻阅书页的同时，1000个单词自然而然就镶嵌在你的脑海里了。

● 以趣味讲座而声名鹊起的文德老师，将通过本书带领大家体会笑得"前仰后合"的超爽感受。
● SNOWCAT（韩国著名卡通形象：雪猫）作者权润珠的趣味插图巧妙地融人书中，让读者在不知不觉中一页接一页地读下去。

老人和小孩都能轻松学习的英语单词书

到目前为止从来没有从头到尾读完过一本英语工具书？一转眼就忘得一干二净了，学它何用？哈哈！现在大家就不用愁了，向各位推荐一本第一名、倒数第一名都爱不释手，老人和小孩都能兴致盎然读到最后一页的英语学习书！叔叔阿姨、医生患者，都能轻轻松松学习的英语单词书就在这里！

● 从人体各部位的名称到我们的衣食住行、心理特征、周边环境等各个方面，生动的故事情节中巧妙地融人逗乐的插图，读者由此不但能系统地学习主要单词，更能激发联想进而更加牢固地记住每个单词的具体含义。
● 随手翻阅本书内容的同时，记得活学活用每一节后的"单词表"。以一种"熟人见面分外亲"的心情，重新整理、归纳单词，在复习的同时读者也能轻松愉快地记住每个单词。

都在这里！

"我要改变我的英文宿命!"

英语词汇专家文德老师精选1000个 "全民英语基础单词"的总汇

在韩国英语单词书领域，独步"武林"、引领阅读潮流的超级畅销书《MD vocabulary 33000》的作者文德老师，精选出1000个单词收录在《别笑！我是英文单词书》里。这是大学生必须掌握的单词，同时也是每一个英文学习者都应该知道的"全民英语基础单词"。高中生也好，大学生也好，上班族也好，大家都来感受这本书的趣味吧！词汇量想达到托福水平，想轻而易举地记住英文单词，就来阅读此书吧。即使光念不背，也能游刃有余、得心应手。

● 从"人与生物"到"情感与性格"，一直到"生活与旅行"，系统收录了1000个单词。

● 除日常生活中必须掌握的单词外，还囊括了各种考试（托福、大中专院校入学考试、公务员考试、高考等）中出现频率极高的单词。

太棒了！

使你振臂高飞的英语单词书

有没有一本更具亲和力的英语学习书，能使我们在更加轻松愉快的气氛中学习英语？

有没有一本让人会心一笑的英语学习书，不时带给我们一种像碰到调皮捣蛋的弟弟，突然"冒"到面前对你扮鬼脸，然后又兴奋地跑掉的好气又好笑的感觉？

有没有一本英语学习书，如同慈爱严谨的父亲，偶尔训诫我们学习英语时应该有的正确态度？

有没有一本栩栩如生的英语学习书，能够以鲜活的气息和真实的呼吸，带领我们摆脱令人乏味、窒息的英语学习模式？

从事英语教学好多年，这些想法总在我脑海里不断闪现。

从最简单的角度来说，这本书可以作为帮助我们更有效地熟记英文单词的工具书；同时也可说是以通俗但难度极高的命题为出发点而编辑的一本英语学习书。

10年来，我见过一茬又一茬的学生受困、挣扎于多如牛毛的英语单词中，以至于在英语学习过程中屡屡受挫。作为一名英语老师，我期待一种更加优质、有效的英语单词学习方法，这种期待演化成一种使命不断敦促着我。基于这样的原因，我有一个强烈的愿望——写一本趣味性强、大家更容易接受、更加纯粹简洁的英文单词学习书。现在好了，这样的愿望终于实现了，我有机会把如此美妙的一本书呈献给各位读者了，着实让我感动，让我幸福。

偶然间想起小时候外婆给我讲过的关于"老虎与一对小兄妹"的故事。虽然已经过去三十年了，但在我的记忆中"那只老虎如何骗走了故事中妈妈从邻村借来的食物，然后又假扮妈妈如何哄骗故事中年幼的小兄妹，以及那对勇敢的小兄妹最后又是如何飞到天上变成了太阳和月亮"这些故事情节依然历历在目，就连当时听故事的那份悸动至今仍然回荡在心底。若是过去学过的英文单词，能够像那个故事带给我的深刻印象一样，久久停留在我的记忆里那该有多好……。

因此，我决定编写一本有关英语单词的故事书。希望大家以更人性化、更自然的方式接近英语单词。我之所以有一双可以驰骋万里的想像力的翅膀，纯粹有赖于我童年时期那一片金黄色的稻田、一望无际的沙滩以及那悠闲地啃着青草的老黄牛等等这一切美丽风景对我的哺育。世间还有比仲夏金黄色的稻田更美丽、更宁静的景

色吗？那真是一段让人由衷感谢的美好启蒙教育。

我生长在韩国最南端一个完全没有浸染过英语气息的深山沟里，如今却投身英语教学工作甚至执笔写书，仔细想想，这一切多亏了"一辈子为人正直，过着美好的农家生活；无论是在尘土飞扬的炎炎夏日，还是在大雪纷飞、寒风凛冽的冬季，只要是市集的日子，天色未亮就起身准备做生意，风尘仆仆把我们兄妹六个拉扯成人"的父母。还有那年迈的奶奶，我每天清晨睁着惺忪的睡眼准备上学时，她总是细心准备好我最爱吃的荷包蛋；等我去上学后，奶奶就背着自家种的蔬菜到集市去叫卖。奶奶对我的爱，不是我这粗浅的文字所能表达的。

谨以此书献给让我领悟到亲情伟大的双亲；以及我那已经过世的慈爱的奶奶。

文 德

目 录

1 *** 人与生物

情感与性格

2

生活与旅行

3

ONE

1

ONE

人与生物

别 笑!
我是英文单词书

Don't Laugh!
I'm An English Book

人体

从头到脚，
我想知道你的一切

所有的生命life都是由**cell**细胞构成的，我看不到这些细胞，大概是因为我的视力不太好吧。＾＾如果有一台显微镜就可以看到**chromosome**染色体了。连**gene**基因也可以看到吗？嗯……。

Cell聚集到一起形成**tissue**组织，再把tissue组织到一起就形成**organ**器官。如果把我们身体里的**blood vessel**血管展开排成一列的话，能够达到10万多千米长呢！你问我是怎么知道的？老实说，我曾经把一个人的血管展开排在眼前看过，呵呵呵……。从心脏向外输血的血管叫做**artery**动脉，由外向心脏输血的血管则叫做**vein**静脉。我们的身体里有着各种器官，究竟有哪些呢？让我们从头到脚来了解一下吧~。

cell[sɛl] chromosome[ˈkroməˌsom] gene[ʤin] tissue[ˈtɪʃu] organ[ˈɔrgən]
blood vessel[blʌd ˈvɛsl] artery[ˈɑrtərɪ] vein[ven]

除了那些因为种种原因而把头搞丢的人之外，基本上不存在没有**head**头的人了吧？不过，没有**hair**头发的倒是大有人在。^ ^如果有一天你真的碰到了这样的人，可以试着这么说："Oh，you're bald.喔，你是秃头耶。"肯定对方会白你一眼甚至大拳头向你挥过来。但是，头发少一点总比没有**brain**大脑好吧。**Cerebral**是形容词，意思是"大脑的"。**Cerebral death**则是经常成为社会话题的"脑死亡"的意思。

从头发往下，便是 **forehead** 额头了。千万不要轻易皱眉头，那样会"溜"出一道道的**wrinkles**皱纹喔～。我虽然不轻易皱眉头，但爱眯着眼睛笑，额头上倒是没有皱纹了，可是眼角却布满了细细的鱼尾纹～。唉，我又能有什么办法呢？这可是从老爸老妈那儿继承来的遗产 legacy 啊。呵呵呵。

crow's feet
意思是指"眼角的鱼尾纹"。这个词是从"布满在乌鸦脚上的折皱"衍生而来的。

● Wender wears a smile in his eyes.
文德眯着眼睛笑。

额头往下有两个"小丛林"，那就是**eyebrow**眉毛。显而易见，这个单词由 eye 和 brow 结合而成，从字面意思来看，就是"眼睛的额头"。嘿～还挺有趣的～。接下来就是眉毛正下方伴随眨眼 blink 不断上下闪动的家伙了，这小子叫做**eyelid**眼皮、眼睑。还有更有意思的呢，若是只眨一只 **eye** 眼睛，那就叫做 **wink** 使眼色、抛媚眼喔。

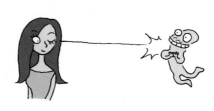

head[hɛd]　hair[hɛr]　brain[bren]　cerebral[səˈribrəl]　cerebral death[səˈribrəl dɛθ]
forehead[ˈfɔ(ː)rɪd]　wrinkles[ˈrɪŋklz]　eyebrow[ˈaɪˌbrau]　eyelid[ˈaɪˌlɪd]　eye[aɪ]
wink[wɪŋk]

● She winked at me.
　她冲我抛了一个媚眼。

　　时常会有人问我是不是做过 **double(fold) eyelid** 双眼皮手术，每当这时，心里都有一种冲动：若是他们再问这样的问题，我会拔根 **eyelash** 眼睫毛给他们看，以证明我的双眼皮是天生的 **innate**。唉，这应该多多感谢我的父母，是他们给了我这对美丽的双眼皮，让我省下了不少整容费～。

snub nose
朝天鼻
strawberry nose
酒糟鼻
aquiline nose
鹰勾鼻

Snub nose　　Strawberry nose　　aquiline nose

　　接下来就该 **nose** 鼻子出场了！ **Breathe** 喘息表示你很忙，一刻都不能休息，连喘口气的时间都没有。鼻子底下的两个小洞就是 **nostril** 鼻孔了。如果你发现朋友的 nostril 不断地流鼻涕，你可以这么跟他说："You have a runny nose.Blow your nose.你一直在流鼻涕耶。擦一下吧。"无聊透顶的时候开个小小的玩笑也未尝不可。"I want to pick my nose.我想挖鼻屎。"哦！脏死了！粗俗的文德～，好嘛，我知道错了，以后再也不敢这样了。T_T 如果再这样继续下去，就会被人打得鼻青脸肿了。

在说啥？

　　鼻子经过 **cheek** 脸颊往两边一点就是 **ear** 耳朵了。什么也没有啊？那可糟了，看来你这辈子也甭想戴眼镜装斯文了。嘻嘻，我觉得世界上最笨的人

double(fold)eyelid[ˈdʌbl(fold)ˈaɪ.lid] **eyelash**[ˈaɪ.læʃ] **nose**[noz] **breathe**[brið]
nostril[ˈnɑstrəl] **cheek**[tʃik] **ear**[ɪr]

4

莫过于掏耳朵 pick one's ear 掏出血、把耳朵挖聋的人了。要是这样，那该怎么办呢？好在，现在市场上有很多质量较好的助听器 hearing aid。^ ^;

milk moustache

真是烦人～脸上的零件怎么这么多？啊！刚才把 **facial hair** 胡须给漏掉了，真不好意思。各位，试着留 **moustache** 八字胡看看怎么样，就像香港歌手林子祥那种帅气的胡须。要不，干脆在 **jaw** 下巴上蓄一撮 **beard** 山羊胡也不错。如果这两种样式你都不喜欢，还可以考虑一下像猫王 Elvis Presley 那样的 **sideburns** 络腮胡子！！！

好了！现在咱们去看看吃饭或亲亲时用的 **mouth** 嘴巴吧。Mouth 是"嘴巴"，而形容词"嘴巴的"则是 **oral**。我知道一个难以启齿的词就是"oral sex"！你想知道这个词是什么意思吗？哎呀，人家可是很纯情的人啊，不懂这种事啦～。请恕我无理，在此避谈这个词。围住嘴巴的"篱笆"叫做 **lip** 嘴唇。在嘴巴里面我们可以看见 **tongue** 舌头、**teeth** 牙齿和 **gums** 牙龈。少了这些零件的人，赶快去牙科门诊镶一副 **dentures** 假牙吧！牙床不够健壮的人，吃麦芽糖的时候千万要小心了，我可亲眼见过一个朋友在吃麦芽糖时把牙齿给黏掉了一颗。当时我俩都傻眼了……。^ ^

智齿大人……

Wisdom teeth 是我们所谓的"智齿"，大概是人在变得聪明、有智慧的时候才会长出来的牙齿吧。既然这样，有人就会说了："那么我只要智齿，其

teeth是复数形式喔！
tooth的复数形式是teeth。如果有人以为复数形式是tooths，那么，我真想把那人的牙齿统统都拔掉～。

犬齿用英文怎么说？
犬齿的英文是canine teeth。其中canine意思是"犬科的"。我想，之所以这么称呼，大概是因为肉食动物的犬齿特别发达的缘故吧。

facial hair[ˈfeʃəl hɛr]　moustache[məˈstæʃ]　jaw[ʤɔ]　beard[bɪrd]　sideburns[ˈsaɪdˌbɝnz]
mouth [maʊθ]　oral[ˈɔrəl]　lip[lɪp]　tongue[tʌŋ]　teeth[tiθ]　gums[gʌmz]
dentures[ˈdɛnʧɝz]　wisdom teeth[ˈwɪzdəm tiθ]

他的牙齿统统打掉不就更聪明了～？"哎呀，老大！拜托了，要是这样的话，你就可以统领世界了，做"白日梦"是要伤神的耶！

● I cut a wisdom tooth.

我长了一颗智齿。

● I had a wisdom tooth pulled(out).

我把智齿拔掉了。

再讲一点！有谁知道"臼齿"用英语怎么说吗？不知道？真的不知道？哇～终于有人知道了，你真了不起，这种高难度的单词你也知道！答对了，就是 **molar**，很神奇吧？臼齿在最里边，不容易看到，所以说"有很多人不知道啦～"。

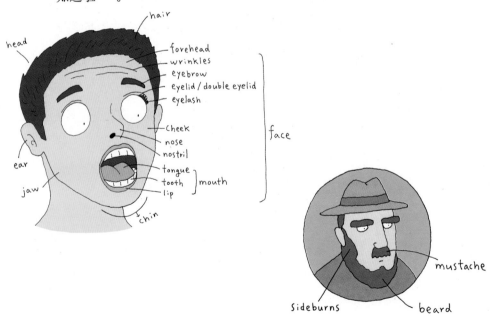

molar[ˈmolɚ]

>>> 内部器官

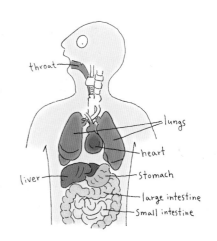

从现在开始，我就带领大家正式展开"内部器官大探密"之旅了。张大嘴，可以看见舌头深处有个**tonsils**扁桃腺挡住了**throat**咽喉的入口。我们不是专业医生，自然对人体内部器官的专业医学用语不怎么感兴趣了。不过我们平时所说的五脏六腑用英文怎么说还是要知道的。五脏是指**heart**心脏、**liver**肝脏、**lungs**肺、**kidneys**肾脏、**spleen**脾脏。这些都是维持生命所**vital**必需的器官，希望大家要牢牢记住哟！

每个人应该都知道**stomach**胃在人体脏器中所起的作用吧？胃是把**digest**消化食物所得到的养分供给全身而辛苦劳作的器官。具有这种功能的器官统称为**alimentary organ**消化系统。消化不良，我们可以这么说："I'm suffering from indigestion.我有些消化不良。"

肠子用英语这么说：**bowels**或者 intestines。大致上可分为两大系统，即**small intestine**小肠和**large intestine**大肠。我们平时所说的**appendix**盲肠严格来说有"充数"之嫌，appendix 还可以指书籍的"附录"，这两种说法的共同点都是"附着在重要部位上的东西"。啊，原来是这么回事～～。

大肠末端通往外面世界的出口就是**anus**肛门，俗称屁股 ass。消化道里的气体由肛门排出，发出响亮的声音，就叫做**break wind**放屁。救命啊～臭死人了～。

> 词根pend "悬挂"
> 词根pend的意思是"悬挂(hang)"。而appendix就是pend与表示方向(to)的ad-结合而成，指悬挂于一旁的意思，也就是"附加、充数"的意思，如"附录、阑尾"。

tonsils[ˈtɑnslz]　throat[θrot]　heart[hɑrt]　liver[ˈlɪvɚ]　lungs[lʌŋz]　kidneys[ˈkɪdnɪz]
spleen[splin]　vital[ˈvaɪtl]　stomach[ˈstʌmək]　digest[daɪˈʤest]
alimentary organ[æləˈmentərɪ ˈɔrgən]　bowels[ˈbaʊlz]　small intestine[smɔl ɪnˈtestɪn]
large intestine[lɑrʤ ɪnˈtestɪn]　appendix[əˈpendɪks]　anus[ˈenəs]　break wind[brek wɪnd]

刚才只顾着讲嘴巴里头的东西了，把 **neck** 脖子以下的部位全给忘了，它们有点不高兴了。脖子往下依次是 **shoulder** 肩膀、**arm** 胳膊、**elbow** 胳膊肘和 **hand** 手。不过，elbow 这个家伙，总有洗不完的污垢 dirt！！

仔细瞧瞧，我们的手掌也挺复杂的。握紧就成了 **fist** 拳头，张开又能看见 **palm** 掌心。这时不妨对你身边的朋友说："Let me read your palm. 我给你看看手相。" 嗯，"You are doomed to die young. 你会英年早逝耶。" 呵呵。

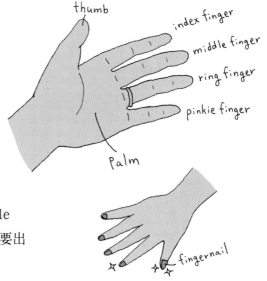

twiddle one's thumbs
美国人喜欢用手指动作来表达情绪，或自己当时的状态。以下所列举的这个动作，同样也源自于这样的含意。将两边除了大拇指之外的4根手指互相交叉，然后把两个大拇指不停地，像两个转动的车轮一样交互旋转。对美国人而言，这个动作的含意是"正在等待或是很无聊"。

手上长长的、一根根整齐排列的是 **finger** 手指。从大拇指出发，依此是：**thumb** 大拇指、**index finger** 食指、**middle finger** 中指、**ring finger** 无名指、**pinkie finger** 小拇指！！大家都应该知道不能在老外面前竖起 middle finger 吧？要是你不知道，就要出大事了！＾＾

保护手指头的是坚硬的 **nail** 指甲！我一看到女生涂指甲油，就迫不及待地也想试试。哎呀，难道我骨子里就是个女人吗？

● Wender got a manicure.
　文德修了指甲。

neck[nek]　shoulder['ʃoldə]　arm[ɑrm]　elbow['ɛl,bo]　hand[hænd]　fist[fist]　palm[pɑm]
finger['fiŋgə]　thumb[θʌm]　index finger['ɪndɛks 'fiŋgə]　middle finger['mɪdl 'fiŋgə]
ring finger['rɪŋ 'fiŋgə]　pinkie finger['pɪŋkɪ 'fiŋgə]　nail[nel]

啊？这么快就说完了！赶快回到脖子上。呵呵。

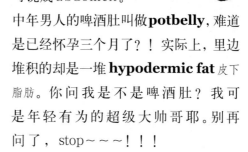

脖子垂直往下就是 **chest** 胸。**Breast** 特指前胸，也就是乳房，乳房的另一种说法是 bosom。再往下就是 **belly button** 肚脐眼。一般来说，腹部叫做 **stomach**，也可说成 abdomen。

中年男人的啤酒肚叫做 **potbelly**，难道是已经怀孕三个月了？！实际上，里边堆积的却是一堆 **hypodermic fat** 皮下脂肪。你问我是不是啤酒肚？我可是年轻有为的超级大帅哥耶。别再问了，stop～～～！！！

我们赶快去看看 **ribs** 肋骨吧，side 也有肋骨的意思。

这时该说 **bust** 胸部→ **waist** 腰部→ **hip** 臀部了。**Buttocks** 有"屁股蛋"的意思。坐在椅子上感觉软软乎乎的，这与你屁股蛋的 **bone** 骨头上有很多 **flesh** 肉有关。什么，有人说那不是 flesh 而是 **muscle** 肌肉。有肌肉的屁股蛋？哇哈哈～～。**Carnal** 是形容词"肌肉的、肉体的"。你说奇怪不奇怪，buttocks 这地方怎么老是有一股臭鸡蛋的味道。我们还是"走为上策"，免得臭出病来，得不偿失～。

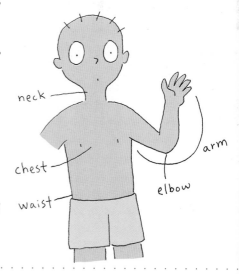

neck

chest

waist

arm

elbow

chest[ʧɛst] **breast**[brɛst] **belly button**[ˈbɛlɪ ˈbʌtn] **stomach**[ˈstʌmək] **potbelly**[ˈpɑtˌbɛlɪ] **hypodermic fat**[ˌhaɪpəˈdɜˑmɪk fæt] **ribs**[rɪbz] **bust**[bʌst] **waist**[west] **hip**[hɪp] **buttocks**[ˈbʌtəks] **bone**[bon] **flesh**[flɛʃ] **muscle**[ˈmʌsl] **carnal**[ˈkɑrnəl]

9

>>> 生殖器官

屁股的正前方就是 **reproductive organs** 生殖器官了。呃，讲这个实在有点不好意思。不过为了增加大家的词汇量，我只好放下脸面、硬着头皮为大家讲了，所以请大家不要犯困，跟我好好学吧～。

啊啊啊～

Male 男性的生殖器叫做 **penis**，而 **f e m a l e** 女性的生殖器则叫做 **vagina**。在电影《The Sweetest Thing》中，扮演女主角克莉蒂娜的卡麦容·迪亚唱过一首以男性生殖器为主题的歌曲，名字叫做《Peanut's Song》。怪哉，歌曲名为什么叫 Peanut's Song 呢？男性生殖器的英文是 penis，因为和花生 peanut 的发音相似，所以才取了这样的歌名。^ ^;

男性的睾丸叫做 **testicle**，因为外形像球，所以也叫做 ball。不过，这种说法很不雅，所以大家知道有这个概念就行了。它们总共有 2 个，所以复数形式不就是 testicles 和 balls 了吗？我的学生当中就有人喜欢背诵这种单词，我想奉劝他们一句，这样做很容易被人说成是性变态 pervert 的，所以要慎用。

女性的生殖器比男性的更复杂。首先有男性没有的 **womb** 子宫和 **ovaries** 卵巢。**Oval** 是形容词，是指"卵形的、椭圆形的"。和女性有关的单词中多半都有"ov"这个词缀。美国总统的办公室，英文叫做 the Oval Office，开始我还以为是"鸡蛋专卖店"呢。在《Penthouse》阁楼杂志里，

---

reproductive organs[ˌriprəˈdʌktɪv ˈɔrgənz]　**male**[mel]　**penis**[ˈpinɪs]　**female**[ˈfimel]
vagina[vəˈʤaɪnə]　**testicles**[ˈtɛstɪklz]　**womb**[wum]　**ovaries**[ˈovəriz]　**oval**[ˈovl]

哎呀！说错了，呃~呵！而是在《Time》时代杂志里经常可以看到白宫总统办公室的照片，发现外形确实像鸡蛋，所以白宫总统办公室就被称为 the Oval Office 了。

Oval Office

Period 是指女性的月经，menstruation 也是这个意思。为什么男生没有月经呢？这个世界太不公平了！！如果走在街上，你突然产生一种想被迎面而来的金发碧眼女郎打一耳光的变态冲动的话，你可以这样对那个女郎说："Are you having your period right now? 你现在是月经期吗？"还没等你说完，高跟鞋已经飞向你的额头，顿时immediately你只觉得两眼冒金星，晕晕乎乎，摔倒在地。^ ^真不该这么鲁莽，后悔啊！

各位女生，在此，我想告诉你们一句很实用的、很婉转又不丢面子的关于"痛经很厉害"的英语句子，这样在你们碰到类似情况的时候，就不会觉得尴尬了。这个句子就是："I have terrible cramps today.今天我有很严重的生理痛。"你问我是怎么知道这些的？我知道的还不止这些呢，还有：**tampon** 卫生棉条、**PMS (premenstrual syndrome)** 经前综合症、**miss a cycle** 月经不调等。不得了了~。

生殖器官出现问题而不能生育，我们称之为**sterile** 不孕的。这个单词的本意是"不毛之地"，如果把子女比作生长于大地的谷物，那么就可以充分理解这个单词了。男性没有生殖能力或者不能过性生活，我们称之为**impotent** 阳痿。来，跟我说："I'm impotent."跟我说这句话的人~，唉，

词首（im-）："否定"
词首im-,in-,il-都有否定（not）的意思。impotent 这个单词中的potent是指"强有力的"的意思，前面多加了im-之后，意思就变成"无力的、不能的"。

period[ˈpɪrɪəd]　tampon[ˈtæmpɑn]　sterile[ˈsterəl]　impotent[ˈɪmpətənt]

不行啊，年纪轻轻就……，嘿嘿。

Pregnancy 怀孕初期的胎儿叫做 **embryo** 胚胎，去医院把孩子做掉叫作 **abortion** 堕胎。还有，因为某种问题造成还没有足月的胎儿就出生的情况叫做 **miscarriage** 小产、流产。分娩时孩子已经死亡的情况叫做 **still birth** 死产。哎呀，这是多么令人难过的事情啊。

词首（mis-）："错误的"词首 mis- 有"错误的 (wrong)"的意思。miscarriage 此单词则是 mis- 结合含有"搬运"意思的 carriage，就变成了"流产"这个单词。

各位听说过"胚胎复制"吧？英文叫做 **embryo cloning**。**Clone** 是指"克隆人"的意思。我说的可不是韩国的偶像团体"酷龙"哟，千万不要误会，误会就麻烦了。^_^

>>> 下半身

活跃于美国职业棒球大联盟 Major League 的韩国强打选手 slugger 崔熙燮，据说他的 **thigh** 大腿的腿围有 29.5 英寸 inches 呢。我的天哪！！！崔熙燮选手的大腿相当于普通人三个腰粗了！哇～。

大腿往下就是 **knee** 膝盖了。对了，还有 **lap**。**Lap** 虽然也是"膝盖"的意思，但它是指"坐在我的膝盖上"时才使用的词。说得具体一点，就是可以把膝上型电脑 laptop 放在上面进行工作的部位，明白了吧？

pregnancy[ˈprεgnənsı] **embryo**[ˈεmbrı,o] **abortion**[əˈbɔrʃən] **miscarriage**[mısˈkærıdʒ]
still birth[stıl bɜθ] **embryo cloning**[ˈεmbrı,o ˈklonıŋ] **clone**[klon] **thigh**[θaı] **knee**[ni]
lap[læp]

● I sat on my daddy's lap and he screamed in pain.
我坐到爸爸膝盖上，他疼得大叫。呵呵。

说到膝盖就会想到 **joint** 关节。不小心受到撞击，疼得要命的小腿前侧叫做 **shin**。这个单词若是记不住，可以请你的朋友狠狠踢你一脚，保管你会记得牢牢靠靠的。＾＾

腿上还有一个地方很容易受伤，那就是 **ankle** 脚踝。特别是踢足球时，一不小心就会扭伤脚踝。所以说我们还是安分一点，充当拉拉队中的一员，给他们加油就行了。加油～！冲冲冲！！！

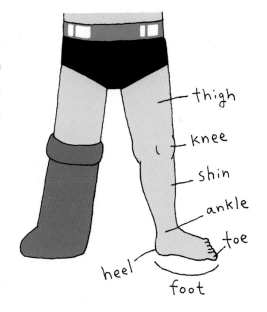

● I sprained my ankle.
我扭伤了脚踝。

Foot 脚上也有几个有意思的地方。脚丫子的英文是 **toe**。脚后跟的英文是 **heel**。脚上穿着15厘米高的高跟鞋，却不知道 heel 这个单词，是不是太傻了点？（在韩语中"高跟鞋（high heel）"是外来语，所以作者这么说。）＾＾；若是有人穿着高跟鞋去爬山，那她肯定是宇宙超级大笨蛋，嘻嘻。人的"致命弱点"，英文的说法就是 **achilles' heel**。阿基里斯 Achilles 是希腊神话中的神，他有金刚不坏之身，据说他唯一的弱点就在他的脚后跟，最后被敌人射中脚后跟而死。脚后跟往上就是脚筋了，应该可以摸到，

joint[ʤɔɪnt] shin[ʃɪn] ankle[ˈæŋkl] foot[fʊt] toe[to] heel[hil]
achilles' heel[əˈkɪlɪz hil]

英文叫做 **achilles' tendon** 阿基里斯腱。这个部位附近有洗不完的灰，每次洗澡都要着重照顾一下，可是不管你怎么搓，第二天灰还是那么多，真有点气人……

我的 achilles heel 就是这对水汪汪的大眼睛。

achilles' tendon [əˈkɪliz ˈtendən]

单词表

cell 细胞

chromosome 染色体

gene 基因

tissue 组织

organ 器官

blood vessel 血管

artery 动脉

vein 静脉

面 部

head 头

hair 头发

brain 大脑

cerebral 大脑的

cerebral death 脑死亡

forehead 额头 =brow

wrinkles 皱纹 =lines

eyebrow 眉毛

eyelid 眼皮

eye 眼睛

wink 眨眼，使眼色，抛媚眼

· She winked at me. 她冲我抛了一个媚眼。

double(fold) eyelid 双眼皮

eyelash 眼睫毛

nose 鼻子

· snub nose 朝天鼻

· strawberry nose 酒糟鼻

· aquiline nose 鹰钩鼻

breathe 呼吸 =respire

· exhale 呼气

· inhale 吸入

· breath 呼吸

nostril 鼻孔

cheek 脸颊

ear 耳朵

facial hair 胡须

· goatee 山羊胡

· I have a beard. 我长胡子。

· I shave every morning. 我每天早晨刮胡子。

· He is unshaven. 他没有刮胡子。

moustache 八字胡

jaw 下巴

· chin 下巴尖

beard （下巴上的）胡子

sideburns 鬓角

oral 嘴的

lip 嘴唇

· My lips got chapped. 我的嘴唇裂了。

tongue 舌头

teeth 牙齿

· tooth 牙齿（单数形式）

gums 牙龈

dentures 假牙

wisdom teeth 智齿

· canine tooth 虎牙

· decayed tooth 虫牙

· projecting tooth 暴牙

· I cut a wisdom tooth.我长智齿了。

· I had a wisdom tooth pulled (out).我拔掉了智齿。

molar 臼齿

内部器官

tonsils 扁桃腺

throat 嗓子

heart 心脏

· cardiac 心脏的

liver 肝

lungs 肺

· pulmonary 肺的

kidneys 肾脏

spleen 脾脏

vital 必需的,至关重要的

stomach 胃

digest 消化

alimentary organ 消化器官

bowels 肠子 = intestines

small intestine 小肠

large intestine 大肠

appendix 盲肠;附录

· pend 悬挂，吊

· appendix: ad(方向 to)+pend(悬挂)→附录，充数

· suspend: sub(下面)+pend(悬挂)→悬挂，使中止

· impending: im(不)+pend（悬挂）→紧迫的

anus 肛门 = ass

break wind 放屁 = fart

· pooh 鼻子里发出的表示轻视的"哼"声

· belch 打嗝儿，嗳气 = burp

上半身

neck 脖子

shoulder 肩膀

arm 胳膊

elbow 胳膊肘

hand 手

fist 拳头

palm 手掌

· Let me read your palm.我给你看看手相。

finger 手指

thumb 大拇指

· He is all thumbs.他笨手笨脚的。

· thumb down 拒绝

index finger 食指

middle finger 中指

ring finger 无名指

pinkie finger 小拇指 = little finger

nail 指甲

chest 胸部

breast 乳房 = bosom

belly button 肚脐 = navel

stomach 肚子，腹部 = abdomen

· I have a stomachache. 我肚子疼。

· My stomach feels bloated. 我肚子胀。=I feel bloated.

potbelly 大肚子

hypodermic fat 皮下脂肪

ribs 肋骨 = flank, side

bust 胸

waist 腰

hip 臀

buttocks 屁股蛋

bone 骨头

flesh 肉

muscle 肌肉

carnal 肉体的，肉欲的，

· bodily 肉体的，身体的 = physical, corporal

生殖器官

reproductive organs 生殖器官

male 男性

penis（男性）生殖器

female 女性

vagina（女性）生殖器

testicles 睾丸 = balls

womb 子宫

ovaries 卵巢

oval 椭圆形的，卵形的

period 月经 = menstruation

tampon 内置式卫生棉条

· pad（一般）卫生巾 = sanitary napkin

PMS 经前综合症

　= Premenstrual Syndrome

miss a cycle 月经不调

sterile 不孕的 = barren

· sterile couple 不孕的夫妇

impotent 阳痿

pregnancy 妊娠

embryo 胚胎

abortion 堕胎

miscarriage 流产

· 前缀（mis-）:"错误的(wrong)"

· miscarriage: mis（错误的）+ carriage（运送）→流产

· mislead: mis（错误）+ lead（带领）→误导，欺骗

· misgiving: mis（错误）+ give（给予）→担心（带来不好的东西）

· misunderstand: mis（错误）+understand（理解）→误解

still birth 死产

embryo cloning 胚胎复制

clone 克隆人

下半身

thigh 大腿

knee 膝盖

· kneel 跪（下）

· knell 钟声，丧钟

· knoll 圆丘，小丘

lap 膝盖

· I sat on my daddy's lap and he screamed in pain.

我坐到了爸爸膝盖上，他疼得大叫。

joint 关节

shin 小腿

ankle 脚踝

· I sprained my ankle. 脚脖子扭了。

foot 脚

toe 脚趾

heel 脚后跟

achilles' heel 唯一的弱点

achilles' tendon 阿基里斯腱

>>> 补充单词

appearance外表 cripple使成跛子、使残废 complexion气色 dimple酒窝 earlobe耳垂
limb肢（腿、臂或翼） nerve神经 pulse脉搏 skeleton骨骼、骨架
slobber口水 the disabled残障者

身体状态

为什么我更钟情
于丰满的人呢?

现在让我们来了解一下自己身体的各种状态吧。你觉得很 **tired** 疲倦吗?活该~,我早就告诉过你不要坐在电脑前熬夜 stay up all night 了。我为了写完这本书,近来倒是感觉很 **fatigue** 疲惫,这样下去,不知道 **physical stamina** 体力会不会 **exhausted** 被耗尽?就算耗尽也没关系,肩负着使各位词汇量增加的使命,我决定每天只 **nap** 小睡 5 个小时,然后继续为大家写作。我多么能干~快点表扬我吧~。^ ^;

呃,好累……

站都站不稳了!

tired[taɪrd]　**fatigue**[fəˈtig]　**physical stamina**[ˈfɪzɪkl ˈstæmənə]　**exhausted**[ɪɡˈzɔstɪd]
nap[næp]

哎哟～，突然觉得身体像一只 **lethargic** 无生气的、软绵绵的又 **drowsy** 困倦的蚂蟥（金龟子幼虫）。看来该 **doze** 打盹一会儿再写了。

● I was so tired that I fell into a doze.
我太累了，所以打了一会儿盹。

啊，睡一觉起来 **refreshed** 精神振作，清爽多了。等这本书的原稿完成之后，我打算去 **fitness club** 健身俱乐部 **body building** 健身，变成一个肌肉健美型男子。呵呵。

为什么女人都喜欢 **well-built** 体格健壮的男人呢？我想，这其中的原因不仅仅是让人家背自己吧……。要是这位小姐 **overweight** 超重的话，男生还真得费点力气才行。Overweight 的同义词有很多，比如说 fat、corpulent、obese、stout、plump 等等，都是用来形容胖子的。此外，个子小、身体粗胖的人我们叫他 **tubby**。这个单词不能念成"杜比"，"踏比"才是正确的发音喔！

你们在说我吗？

罗宾 →

最近，好多女性都在 **go on a diet** 节食，**lose weight** 减肥蔚然成风，

---

lethargic[lɪˈθɑrdʒɪk]　**drowsy**[ˈdrauzɪ]　**doze**[doz]　**refreshed**[rɪˈfrɛʃt]
fitness club[ˈfɪtnɪs klʌb]　**body building**[ˈbadɪˌbɪldɪŋ]　**well-built**[ˈwɛlˈbɪlt]
overweight[ˈovəˌwet]　**tubby**[ˈtʌbɪ]　**lose weight**[luz wet]

造成这种风气的"罪魁祸首"是 **slender** 苗条的女人更受欢迎吧。但是也有很多人认为 **chubby** 胖胖的、丰满的女性更漂亮、更迷人。形容拥有健康丰满身材的女性时常用的词还有 **buxom**，这种说法特别是指那些胸部丰满的女人。所以不要为了减肥而故意 **starve** 挨饿，更不要狼吞虎咽之后把脚趾伸到嘴里以便把自己刚吃过的东西再 **vomit** 呕吐出来！女性丰满更美丽，小狗圆乎乎才可爱。如果小狗像宠物 pet 吉娃娃一样 **bony** 瘦骨嶙峋的、瘦削的，一副营养不良的样子，那该有多可怜啊。胖乎乎的小狗才讨人喜欢呢！

胖子也好，瘦子也好，最重要的是要 **sound** 健康。我们大家要多吃 **good for your health** 对健康有益的食物，过着 **healthy** 健康的生活。块头十足 bulky，身子 **frail** 虚弱的，又有什么用呢？我现在还年轻，还算是体格健壮的、**vigorous** 精力旺盛的，将来老了也会变得 **decrepit** 衰弱的。真担心到那个时候自己还能不能四处去讲课。那时我可能连粉笔也拿不住了，拖着佝偻的身子勉强撑下半堂课来，到最后，实在没办法了，就对着学生大吼："把它背下来就对了～。"真是不敢想像。

---

slender[ˈslɛndɚ]　chubby[ˈʧʌbɪ]　buxom[ˈbʌksəm]　starve[stɑrv]　vomit[ˈvɑmɪt]
bony[ˈbonɪ]　sound[saʊnd]　healthy[ˈhɛlθɪ]　frail[frel]　vigorous[ˈvɪgərəs]
decrepit[dɪˈkrɛpɪt]

单词表

tired 疲倦的 = weary, exhausted

fatigue 疲劳

physical stamina 体力

exhausted 精疲力尽的，耗尽的

nap 小睡，打盹

lethargic 无生气的，软绵绵的

= sluggish, indolent, languid

drowsy 困倦的，使人昏昏入睡的 = sleepy

doze 打瞌睡

· I was so tired that I fell into a doze.

我太累了，所以打了个盹儿。

refreshed 恢复精神的

fitness club 健身俱乐部 = gym

body building 健身

well-built 体格好的

overweight 超重，胖胖的

= fat, stout, corpulent, obese, plump

tubby 矮胖的

· 矮墩墩的 stubby, stocky

go on a diet 节食

lose weight 减轻体重

· gain weight 发胖

slender 苗条的 = slim

· willowy 苗条的

chubby 胖胖的，丰满的

buxom 丰满的（用于形容胸部丰满的女人）

starve 挨饿

vomit 呕吐

bony 瘦骨嶙峋的，瘦削的

· 瘦的 thin

· 皮包骨的 skinny, lean, gaunt

sound 健康的

good for your health 对健康有益的

healthy 健康的

· healthy diet 健康饮食

（以惯用语法来说，此一用法和 healthy 一样可以用来表示"对健康有益的"）

frail 虚弱的

· 体弱的 weak, infirm, feeble

· 多病的 invalid

vigorous 精力旺盛的 = energetic, animated

decrepit 衰老的

疾 病

但愿，头皮屑从此在这个世界上消失得无影无踪

>>> illness 和 disease

心脏病，英文的说法是 **heart disease** 还是 heart illness 呢？对了，当然是 heart disease。谈到具体疾病的名称时用 **disease**，**illness** 则是身体处于病痛状态说明病名时使用。轻微的病可以说 **slight illness**，也可以说 slight ailment。

词首dis–也有
否定的意思
词首dis–有"否定（not）"
的意思由此可见，disease
就是指"不（dis-）ease
（舒服）"，可解释为
"疾病"。
·dis(not)+order（秩序）
→混乱（disorder）

dis ＋ ease → disease

一点都不 ease!

---

heart disease[hɑrt dɪ'ziz]　**disease**[dɪ'ziz]　**illness**[ˈɪlnɪs]　**slight illness**[slaɪt ˈɪlnɪs]

● Suffer from a serious illness.
　身染重病。

Disease会引发很多种**symptom**症状。比如说，我们**catch a cold**患了感冒，就会**headache**头疼、**fever**发烧，这些都是感冒cold的symptom。最让人心烦的**symptom of cold**感冒症状是哪一种呢？当然首选**have a runny nose**不停流鼻涕了。在众目睽睽之下**wipe**擦鼻涕，总是有点不好意

思，可一直**sniff**用力吸鼻涕也不行啊。真是左右为难，好不尴尬啊！到了实在没办法的时候，把心一横豁出去了，你就尽管**blow your nose**擦鼻涕吧。其他感冒症状还有**have a sore throat**喉咙痛和**clear your throat**干咳，感冒再严重一点就会**have a bad cough**严重咳嗽。所以各位一定要小心，千万别感冒了～。

>>> 艾滋病

AIDS艾滋病是最可怕的病症之一。那么这个名词究竟是哪些词的缩写呢？有人说是Always I Do Sex的缩写。各位！千万可别被这个概念误导了。AIDS是Acquired Immune Deficiency Syndrome的缩写。

symptom[ˈsɪmptəm]　headache[ˈhɛdˌek]　fever[ˈfivɚ]　runny[ˈrʌnɪ]　wipe[waɪp]
sniff[snɪf]　blow[blo]　sore[sɔr]　cough[kɔf]　AIDS[edz]

Acquired 后天性的 **Immune** 免疫的 **Deficiency** 缺乏 **Syndrome** 综合症

AIDS 广告

现在各位知道 AIDS 是哪些词的缩写了吧？知道概念就行了，严禁亲身体验！嘿嘿。另外还有一种比较可怕的疾病就是 **Down syndrome** 唐氏综合症。据说这种病是由于染色体异常引起的，症状主要表现为 **amentia** 智障或者 **dementia** 痴呆等。

此外，我们在生活中所说的"那个女人是花痴（比喻行为不检点的女人）"这句话中的"花痴"，英文说法是 **bimbo** 或者 ditz。

下面让我们来了解一下疾病的种类 type。

>>>　疾病的名称和症状

某一症状突然加重了，英文叫做 **acute** 急性的。经过长时间慢慢才体现出症状的叫做 **chronic** 慢性的，相同说法还有 inveterate 或者 deep-seated。疾病当中有 **athlete's foot** 脚气这种芝麻蒜皮般的小病，也有像 **cancer** 癌症那样 **fatal** 致命的大病。

● I have athlete's foot. 我有脚气。

Down syndrome[ˈdaʊnˌsɪndrom] **amentia**[əˈmenʃə] **dementia**[dɪˈmenʃə] **bimbo**[ˈbɪmbo]
acute[əˈkjut] **chronic**[ˈkrɑnɪk] **athlete's foot**[ˈæθlits fʊt] **cancer**[ˈkænsə] **fatal**[ˈfetl]

NIMBY Syndrome

NIMBY syndrome (NIMBY综合症)是Not In My Backyard中，汲取每一个词的首字母所组成的新词，意思是"强烈反对在自己的住处附近设立任何有危险性、不好看，或者其他不宜事物，如监狱、焚化炉或流浪之家等"，简单地说，就是指地区性自我保护主义者。

另一类似的名词是：PIMFY syndrome(PIMFY综合症)，则是从Please In My Front Yard中取每个词的首字母所组成的用语，意思是"积极争取在自家附近设立对社区有益的文化设施，或是政府机关等"，简单地说，就是指利己主义现象。

词根dem "人"
词根dem有"人"的含意，仔细瞧瞧epidemic这个单词，epi有"危及"的意思，也就是指会传染到他人身上，意即"流行的"。
· demo（人）+cracy（统治）→民主主义（democracy）

还有些疾病只是在特定地域的人群particular region of people中发生，我们把这种情况称之为 **endemic disease** 地方病。反之，会散布widespread到其他地方的疾病我们则称之为 **epidemic disease** 流行病。

● Cholera was endemic in the region.
霍乱只在那个地区猖獗。

此外，通过空气air这种介质carrier传染到其他人身上的疾病，我们称之为 **in-fectious disease** 传染病。而那些通过身体接触by touch而传播的疾病叫做 **contagious disease** 接触性传染病。说到传染病，就不能不提14世纪时蔓延prevalent全欧洲的 **pest** 鼠疫，又称 **Black Death** 黑死病。**Pestilence** 瘟疫也属于这类疾病。收容这类传染病患者的地方叫做 **isolation ward** 隔离病房。请大家用心记一下。

可怕的癌症
癌症的另一种说法是malignant tumor（恶性肿瘤），而良性肿瘤叫作benign tumor。

像癌症cancer这种要过一段时间才能显现出症状symptom的疾病我们称之为 **insidious disease** 潜伏性疾病。另外，潜伏期的英文是 **latent period**。据说，AIDS病毒的潜伏期可以达到10年a de-cade之久。

接下来，我们去了解一下，大家都有可能会患suffer的疾病的种类。OK！从头head开始，一直到脚heel。出发～～！

endemic disease[ɛnˈdɛmɪk dɪˈziz]　epidemic disease[ˌɛpəˈdɛmɪk dɪˈziz]
infectious disease[ɪnˈfɛkʃəs dɪˈziz]　contagious disease[kənˈteʤəs dɪˈziz]　pest[pɛst]
Black Death[blæk dɛθ]　pestilence[ˈpɛstləns]　isolation ward[ˌaɪsˈleʃən wɔrd]
insidious disease[ɪnˈsɪdɪəs dɪˈziz]　latent period[ˈletnt ˈpɪrɪəd]

[头]

你有 **dandruff** 头皮屑吗？唉哟，不卫生啊。呵呵呵。有人说头皮屑太严重会导致掉头发 Loss of hair，最后变成秃顶 bald。虽然如此，有头皮屑的人也无须过分担心，经常用 **treatment shampoo** 治疗用洗发精洗头 wash your hair 就可以了。而且，秃顶也不是什么见不得人的事，你要充满信心勇敢去面对！ ^^

很酷的老板

有头皮屑可不行哦。

啪
啪

发生在头部最经常的症状就是 **headache** 头痛了。有很多人或多或少都曾受过头疼的困扰。只有一边疼痛就叫做 **migraine** 偏头痛。这个时候，应该及时服用 **aspirin** 阿司匹林之类的 **painkiller** 止痛药。

- I have a bad headache.
  我头疼得厉害。
- This painkiller will relieve the headache.
  这种止痛药可以缓解头痛。

虽然头痛发作起来很难受，但是总比 **mental disease** 精神病好多了吧？ ^^ 精神病治疗时间长不说，而且还要被送进 **mental hospital** 精神病院。有点恐怖。患精神病的人我们称之为 **psycho** 精神病患者。

dandruff[ˈdændrəf]　treatment shampoo[ˈtritmənt ʃæmˈpu]　headache[ˈhɛdˌek]
migraine[ˈmaɪgren]　aspirin[ˈæspərɪn]　painkiller[ˈpenˌkɪlə·]　mental disease[ˈmɛntl dɪˈziz]
mental hospital[ˈmɛntl ˈhɑspɪtl]　psycho[ˈsaɪko]

好了，我们现在开始说眼睛。**eyesight** 视力不好叫做 **have bad eyes** 或者 have bad eyesight。具体一点来说，看不清远处物体时叫做 **near-sighted** 近视的，看不清眼前物体时叫做 **far-sighted** 远视的。用医学用语 medical term 来说，近视和远视分别是 **myopia** 和 **hypermetropia**。

多保重喔！

吱~

我的眼镜
我的眼镜

↖ 坏蛋

关于耳朵的单词又有哪些呢？**deaf** 是"耳聋的、不肯听的"。还有，耳朵疼痛的时候可以说 **earache**。

词尾-ache "疼痛"
词尾-ache 有"疼痛（pain）"的含意，因此，earache 便是指"耳痛"。
· toothache 牙痛

说到嘴巴，最常见、也最令人头疼的疾病就是 **toothache** 牙疼了，俗话说："牙疼不是病，疼起来真要命！"所以有了 **decayed tooth** 蛀牙，一定要尽快找牙医 dentist 接受治疗，同时还要定期去 **scaling** 洗牙。什么，你说正为智齿 wisdom tooth 而烦恼？那可就没有别的办法了，只能找牙医把牙齿 **pull out** 拔掉了。呃呃~一定很疼吧。由于口臭 smell 而倍感烦恼，也大有人在吧。就算天天刷牙 brush your teeth 仍然不能去除异味的话，你就不要开口说话了吧。要不然，试试 **mouthwash** 漱口水也行。^ ^

牙科

● He has bad breath. 他有口臭。

eyesight[ˈaɪˌsaɪt]　near-sighted[nɪr ˈsaɪtɪd]　far-sighted[fɑr ˈsaɪtɪd]　myopia[maɪˈopɪə]
hypermetropia[ˌhaɪpəˌməˈtrɑpɪə]　deaf[dɛf]　earache[ˈɪrˌek]　toothache[ˈtuθˌek]
decayed tooth[dɪˈked tuθ]　scaling[ˈskelɪŋ]　pull out[pʊl aʊt]　mouthwash[ˈmaʊθˌwɔʃ]

有几个单词，在你去商场购买牙膏或漱口水时会派上用场：**antibacterial** 抗菌的、**antiseptic** 防腐或抗菌剂以及 **anticavity** 预防蛀牙等。

唉？
怎么这么早就要走啦？

呃……
临时有点急事。

哎呀，为什么这么多部位都会生病呢？现在只是个开始，咬着牙跟随我继续看下去吧。

[脖子和胸腔]

脖子neck会发生什么样的病症呢？你一定有过咽喉throat因为**swell**肿胀而难受的经历吧。真是的，又不是气球balloon，它肿大成这样子干什么～。事实上是由于 **tonsils** 扁桃腺肿大而引起的。严重的话，还得进行 **tonsillectomy** 扁桃腺切除手术呢！想必会很疼吧。呜呜呜。

他说什么？

不知道

咳
咳
咳
咳……

● I have a sore throat.
我喉咙疼。

哎呀，别啰嗦了……。咱们还是继续往下看吧。

胸腔chest 内有心脏heart 和肺lungs 。心脏病是 **heart disease**，也可以说cardiac disease。心脏突然停止跳动叫做 **heart attack** 心脏病发作，这种情况非常危险。另外，抽烟会引发 **pulmonary disease** 肺病，所以，奉劝

---

antibacterial[ˌæntɪbækˈtɪrɪəl] antiseptic[ˌæntɪˈseptɪk] anticavity[ˌæntɪˈkævətɪ] swell[swel]
tonsils[ˈtɑnslz] tonsillectomy[ˌtɑnsɪˈlektəmɪ] heart disease[hɑrt dɪˈziz]
heart attack[hɑrt əˈtæk] pulmonary disease[ˈpʌlməˌneri dɪˈziz]

各位还是尽早戒烟quit smoking 吧。特别是那些一支接一支狂抽的烟鬼chain smoker 更容易得 **lung cancer** 肺癌。癌症的另一种说法是 **malignant tumor** 恶性肿瘤，也就是说，如果在身体里发现了 **tumor** 肿瘤，那么是喜是悲就要看是 **benign tumor** 良性肿瘤还是 malignant tumor 了。

［肚子］

一般的肚子疼称做 **stomachache** 胃疼、腹痛，当然在这里是指吃饭的肚子了。但是在韩国俗语"看到别人又买田又置地就嫉妒得肚子疼"中，"肚子疼"的英文说法则是 **be green with envy**。

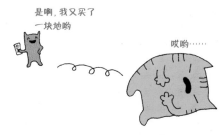

各位当中一定有不少人有过 **constipation** 便秘的痛苦经历吧。很多人认为constipation是小毛病slight，但是听说它发展到最后可以成为 **piles** 痔疮呢，吓人吧！所以，吃的东西要及时排泄出来比较好。何况，肚子又不是化粪池，每天都装得满满的，呃～好恶心啊。要是因为这样生了病，实在不好意思跟别人说。

lung cancer[ˈlʌŋ ˈkænsɚ]　**malignant tumor**[məˈlɪgnənt ˈtumɚ]　**tumor**[ˈtumɚ]
benign tumor[bɪˈnaɪn ˈtumɚ]　**stomachache**[ˈstʌmək͵ek]　**constipation**[͵kɑnstəˈpeʃən]
piles[paɪlz]

便秘之所以让人心烦，是因为大便时无法顺畅排泄，急人啊。如果排泄物随时随地都想往外冲，这种情形就是**diarrhea**腹泻了。不知道是不是为了表达拉肚子的感觉，这个单词才这样发音：哒咦呃绿～哦。上厕所时，嘴里不停念叨"哒咦呃绿～哦"、"哒咦呃绿～哦"，重复几次这个词你就记住了。^ ^

还有一种更加令人难以启齿的疾病，和 sex 有关，它就是 **venereal disease**性病。得了这种病的人会不会感觉很难为情，甚至很丢脸呢？我认识的人当中，听说隔壁邻居的舅舅的朋友的邻居（一句话，就是陌生人喽！^ ^）像 libertine 放荡者一样过着**profligate**放荡的、荒淫的生活，结果就得了性病，最后只得离婚 divorce，弄得妻离子散、家庭破裂，真是追悔莫及！可想而知，那个人的老婆知道他在外边"粘花惹草"的行径后，肯定是非常气愤的，同时也是很丢脸的。

[外伤]

到目前为止，我们主要讲了体内由于 **virus**病毒或者 **germ**细菌而 **fall sick**生病的症状。从现在开始，我们来看一下由于事故而造成的 **traumatic injury**外伤吧。

diarrhea[ˌdaɪəˈriə]　venereal disease[vəˈnɪrɪəl dɪˈziz]　libertine[ˈlɪbəˌtin]
profligate[ˈprɑfləgɪt]　virus[ˈvaɪrəs]　germ[dʒɝm]　fall sick[fɔl sɪk]
traumatic injury[trauˈmætɪk ˈɪndʒəri]

31

在澡堂子里，如果有一个 **skin disease** 皮肤病患者拿着浴巾 bath towel 或者搓澡巾 sandpaper 朝你走过来，跟你说要帮你搓背的话，你一定会吓得撒腿就跑的。嘿嘿嘿。

被刀子一样锋利的物体造成的伤口叫做 **cut**，形成的痕迹叫做 **scar** 疤痕。我在前面提到过自己曾经做过 **appendectomy** 盲肠手术，所以肚子上当然留下 scar 了。实际生活中，我总跟别人炫耀说，那道伤疤是为了救一位被一群流氓 scoundrel 调戏的美女所留下的光荣印记。呵呵。^ ^;;由于火灾造成的伤口叫做 **burn** 烧伤，大家应该都知道吧？据说，治疗烧伤时，那种疼痛不是常人所能忍受的，而且在医院里叫声最大的就是烧伤患者了。所以，咱们还是不要玩火为妙。

假如有个人坐着轿子 sedan chair 赶路与迎面而来的轿子撞在一起，那么因为这次事故造成某人身体某个部位红肿的情形，就叫做 **bruise** 擦伤，若是胳膊、腿断了，就叫做 **fracture** 骨折。如果碰撞严重的话，还会导致血管 blood vessel 或心脏 heart 等器官 **rupture** 破裂。我弟弟的一个朋友在服兵役期

skin disease[ˈskɪn dɪˈziz]　**cut**[kʌt]　**scar**[skɑr]　**appendectomy**[ˌæpənˈdɛktəmɪ]　**burn**[bɝn]
bruise[bruz]　**fracture**[ˈfræktʃɚ]　**rupture**[ˈrʌptʃɚ]

间，有一次不小心从梯子上滚下来，撞到一棵大树上，被树枝弄伤了睾丸 rupture。真是不幸啊！哎呀，你再偷着笑，我就告诉我弟弟的朋友去，让他来收拾你～。

各种症状

headache 头痛	toothache 牙痛	earache 耳朵痛	stomachache 腹痛	backache 背痛
sore throat 喉咙痛	fever/temperature 发高烧	cough 咳嗽	runny nose 流鼻水	chills 风寒
nauseous 令人作呕的	vomit 呕吐	dizzy 头晕目眩的	bump （被打的）肿包	bruise 碰伤
rash 疹、疹子	sprained ankle 扭伤脚踝	insect bite 被虫咬伤	cut 割伤	cavity 蛀牙

单词表

illness 和 disease

heart disease 心脏病

disease 病（具体的病）

· 病 illness, ailment, trouble

· 前缀（dis-）："否定(not)"

disease: dis（不）+ ease（舒服的）→疾病（不舒服的）

disorder: dis（没有）+ order（秩序）→无秩序，混乱

discomfort: dis（不）+ comfort（舒适）→不适

disregard: dis（不）+ regard（尊重）→无视

illness 病（身体的疼痛状态）

slight illness 不严重的病 = slight ailment

symptom 症状

· 前缀（syn-）："一起，同时"

· symptom: sym（一起）+ ptom（渐落）→症状

· sympathy: sym（一起）+ path（感觉）→同感

· synchronize: syn（一起）+ chron（时间）→同时发生

syndrome 综合症

catch a cold 感冒

headache 头痛

fever 发烧

symptom of cold 感冒症状

have a runny nose 不停地流鼻涕

wipe 擦

sniff 用力吸（鼻子）

blow your nose 擤鼻涕

have a sore throat 嗓子疼

clear your throat 干咳

have a bad cough 严重的咳嗽

艾滋病

AIDS 艾滋病 = Acquired（后天的）Immune（免疫的）Deficiency（缺乏）Syndrome（综合症）

· He was infected with AIDS through a blood transfusion.

他由于输血感染了艾滋病。

Down syndrome 唐氏综合症

amentia 智障

dementia 痴呆

bimbo 行为不检，没大脑的女人，傻大姐 = ditz

疾病的名称和症状

acute 急性的

chronic 慢性的

· 慢性的 inveterate, deep-seated

· 词根（chron）："时间"

· anachronistic: ana(back)+chron（时间）→过时的

· diachronic: dia（通过）+ chron（时间）→历经时间长河的，历史的

· synchronic: syn（一起）+ chron（时间）→同时的，共时的

· His disease passed into a chronic state. 他的病转为慢性的了。

athlete's foot 脚气,脚癣.

· I have athlete's foot. 我有脚气。

cancer 癌症

fatal 致命的 = deadly, lethal

endemic disease 地方性疾病

· endemic 地方性的

· Cholera was endemic in the region.霍乱只在那个地区流行。

epidemic disease 流行病

· epidemic 流行性的

· 词根(dem):"人"

· epidemic: epi（上面）+ dem（人）→向人们传播的，流行的

· democracy: demo（人）+ cracy（统治）→民主主义

· demography: demo（人）+ graph（图表）→人口统计学

infectious disease 接触性传染病

· infectious 传染性的

· the spread of infectious disease 传染病的扩散

contagious disease 传染病

· contagious（接触）传染性的

pest 鼠疫

Black Death 黑死病

pestilence 瘟疫, 尤指鼠疫 = plague

isolation ward 隔离病房

insidious disease 潜伏性疾病 = latent disease

latent period 潜伏期

· With a latent period of five to 10 days,the infection can easily spread to other areas.

经过5到10天的潜伏期，传染病就会扩散到其他地区。

[头]

dandruff 头屑

· My head is itching to death because of dandruff.

由于头屑，我的头都要痒死了。

treatment shampoo 治疗用洗发水

headache 头痛

· I have a bad headache.我头疼得厉害。

migraine 偏头痛

aspirin 阿司匹林

painkiller 止痛药

· This painkiller will relieve the headache.

这种止痛药可以缓解头痛。

mental disease 精神病

mental hospital 精神病院

 = lunatic asylum, madhouse.

psycho 精神病患者 = lunatic

eyesight 视力 = vision

· blind 失明的

· deaf 失聪的

· 视力的种类

近视的：near-sighted, short-sighted

远视的：far-sighted

斜视的：cross-eyed, squint

色盲的：color-blind

散光的：astigmatic

have bad eyes = have bad eyesight

near-sighted 近视的 = short-sighted

· I wear glasses because I am short-sighted.

我眼睛近视，所以戴眼镜。

far-sighted 远视的

myopia 近视

hypermetropia 远视

deaf 耳聋的

earache 耳朵疼痛

toothache 牙疼

· 后缀（-ache）："疼痛(pain)"

headache:头痛

toothache:牙疼

heartache:伤心

decayed tooth 虫牙

· treat a decayed tooth 治疗虫牙

scaling 洗牙 = teeth cleaning

pull out 拔（牙）= extract

mouthwash 漱口水

antibacterial 抗菌的

antiseptic 防腐剂

anticavity 防止蛀牙

[脖子和胸部]

swell 浮肿，肿胀

· I have swollen tonsils.我的扁桃腺肿了。

tonsils 扁桃腺

tonsillectomy 扁桃腺切除手术

· 词根（tom）："切割(cut)"

appendectomy: appendix（盲肠）+ tom（切割）→阑尾切除术

gastrotomy: gastro（胃）+ tom（切割）→胃切开术

heart disease 心脏病 = cardiac disease

· cardiac 心脏的

heart attack 心脏病发作

pulmonary disease 肺病

· pulmonary 肺的

lung cancer 肺癌

malignant tumor 恶性肿瘤

tumor 肿瘤

benign tumor 良性肿瘤

[肚子]

stomachache 腹痛，胃痛

· I have a severe stomachache.肚子很疼。

be green with envy

（看到别人富有而）不舒服，嫉妒

constipation 便秘

piles 痔疮 = hemorrhoids

diarrhea 腹泻

· 一直拉肚子。

I have been having diarrhea. = I have the runs.

venereal disease 性病

libertine 放荡的人

profligate 放荡的（人），挥霍的（人）

[外伤]

virus 病毒

germ 细菌

fall sick 生病

traumatic injury 外伤

skin disease 皮肤病

cut 割伤

scar 疤痕

· 伤口 injury, wound, hurt

appendectomy 盲肠手术

burn 烧伤 = scald

bruise 擦伤

fracture 骨折

rupture 破裂 = bursting, breakage

>>> 关于疾病的补充单词

acrophobia惧高症 claustrophobia幽闭恐惧症 epilepsy癫痫；羊痫风 hydrophobia恐水症 hypochondria忧郁症；臆想症 lovesickness相思病 rabies狂犬病

医院与医生

好无聊喔！我们来扮演医生和护士

前面章节我们一直在讲各种疾病，现在该说说治疗 treatment 了。所以我们接下来聊聊 hospital 医院和 doctor 医生。希望大家牢牢记住它们，用到的时候才不至于"抓瞎"，或者找错地方。明明是头痛却挂了牙科的号，牙痛却走进了妇产科，岂不羞死人。

>>> 医院就诊程序

下一位，请进……

注射室

感冒了去医院 **consult a doctor** 就诊，等叫号轮到你的时候才能进入医务室。然后，医生 **diagnosis** 诊断，针对你的病情 **prescribe** 开处方。最后总是免不了被可爱的小 **nurse** 护士拖到 **injecting room** 注射室挨一针。你觉得害怕吗？"Don't make a big fuss! 别大惊小怪！"

如果在国外生病了，请你跟我这样做！

到了人生地不熟的异邦，最好别生病。若是真的痛到不行，那就先到附近能迅速购得药品的 drugstore（药店）买药服用。症状轻微时，这是最有效的处理方式。如果症状严重到必须去医院，你得先打电话预约。别担心，接电话的老外大多都蛮亲切的，所以你千万不能心急，要清楚地回答对方询问你的事项。然后，你只需要准时赴约就诊。你应该在预约时间之前30分钟，到医院柜台填写病历卡片。此时，医院护士可能会简单地询问一下你的症状。你不需要向护士解释得太过仔细，因为等轮到你就诊时，还是得跟医生再说明一次。最后，不就是那个样子嘛，拿着医生开给你的处方笺到领药窗口拿药走人~。

---

hospital[ˈhɑspɪtl]　**doctor**[ˈdɑktɚ]　**consult a doctor**[kənˈsʌlt ə ˈdɑktɚ]
diagnosis[ˌdaɪəgˈnosɪs]　**prescribe**[prɪˈskraɪb]　**nurse**[nɝs]　**injecting room**[ɪnˈdʒektɪŋ rum]

接下来，就是付 **medical fee** 诊疗费，然后拿着 **prescription** 处方笺到 **dispensary** 医院内部药房或者 **pharmacy** 外面的药房拿 **medicine** 药服用就可以了。最后当然就是回到家好好 **get some rest** 休息一下了。如果病情恶化无法正常生活的话，那

就要 **be admitted into a hospital** 住院了。要注意一点，最好自己先准备好足够的钱，以免 **health insurance** 医疗保险不能够全额给付。哎呀，为了防止这种情况的发生，我们大家都要加强锻炼，时刻关注自己的身体健康。

买药

medicine指的是拿来治疗病痛的药品，尤其指必须手持医师开立的处方笺，才能购买得到的药品。dietary supplement并非指以直接治疗病痛为目的的药品，而是泛指药店所售的维他命、铁剂、钙片等，可以经口服来补充人体所缺乏的营养素。

Remedies At The Pharmacy 可以在药店买到的药物

①感冒药 (cold medicine) ②胃痛用药 antacid/Alka Seltzer
③喉咙痛用药 throat lozenges ④咳嗽用药 cough syrup
⑤镇痛剂 aspirin/painkiller ⑥绷带 adhesive bandage/Band-Aid

medical fee[ˈmɛdɪkl fi] **prescription**[prɪˈskrɪpʃən] **dispensary**[dɪˈspɛnsərɪ]
pharmacy[ˈfɑrməsɪ] **medicine**[ˈmɛdəsn] **get some rest**[gɛt sʌm rɛst]
health insurance[hɛlθ ɪnˈʃurəns]

>>> 医院

医院一般分为**general hospital**综合医院和**clinic**私人诊所两种。**Public health center**卫生所设备齐全、价格低廉，所以要好好利用才对哟。别误会，我可不是卫生所的"托儿"～。

医院里有很多专业性的部门。我首先想到就是 **emergency room** 急诊室，这是诸如发生交通事故时受伤人员被 **ambulance** 救护车送到医院进行 **first aid** 紧急抢救的地方。还有，就是利用 x 光 X-ray 拍摄，可以清楚看到 **patient** 患者身体内部的 **radiology** 放射科。我有个朋友在放射科工作很多年了，那个家伙一见到我，就说"我知道你在想什么哦！"（他是不是真的看透了我的心思，不然为什么每次打牌都是他赢呢？＾＾;;）

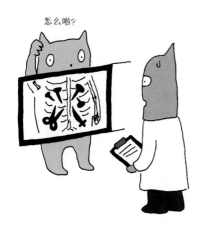

医院里最恐怖的地方是哪里呢？应该算是 **operating room** 手术室吧。当然了，必须得到允许才能进入的 **ICU** 重症监护室也不逊色。顺便说一下，有一种人实在很不知趣，居然在重症监护室里看喜剧片，而且还哈哈大笑。我想这种人大概是精神不正常吧，可能是从 **mental institution** 精神病院跑出来的。ー..ー

general hospital[ˈʤenərəl ˈhɑspɪtl]　clinic[ˈklɪnɪk]　public health center[ˈpʌblɪk hɛlθ ˈsɛntɚ]
emergency room[ɪˈmɚ ʤənsɪ rum]　ambulance[ˈæmbjələns]　first aid[fɚst ed]
patient[ˈpeʃənt]　radiology[redɪˈɑləʤɪ]　operating room[ˈɑpəretɪŋ rum]
mental institution[ˈmɛntl ˌɪnstəˈtjuʃən]

每次去医院，我都会想起一个可怕的地方：**mortuary** 太平间。死者家属 the bereaved family 可以痛哭，可以 **condolences** 哀悼，可以为死者 **incense burning** 烧香祭奠，这些活动的场所就是 mortuary。在太平间工作的医师就是 **mortician** 殡葬礼仪师。你们觉得我是在讲笑话吗？

爷爷…

>>> 医生

接着，让我们去会一会为我们 **treat** 治疗各种疾病的医生。首先，要想成为一个医生必须先完成医学院 medical school 的学业，再经历实习课程 internship 的 **intern** 实习阶段，接下来才是专门的 **resident** 住院医师阶段。在医院急诊室里，我们经常可以看到住院医师们忙碌的身影。

住院医师资历 1 年

勤奋努力

医生分为两大类：**physician** 内科医生和 **surgeon** 外科医生，大家都应该知道吧？而在你家隔壁，内外科"兼修"的私人诊所医生则叫做 **general practitioner**。

好了！现在我们来聊一聊治疗头部疾病的医生吧。首先是从事与精神领域有关工作的 **psychiatrist** 精神科医生。我也认识一位 psychiatrist（我们只

mortuary[ˈmɔrtʃuˌɛrɪ]　condolences[kənˈdolənsɪz]　incense burning[ˈɪnsɛns ˈbɜˑnɪŋ]
mortician[mɔrˈtɪʃən]　treat[trit]　intern[ɪnˈtɜˑn]　resident[ˈrezədənt]　physician[fɪˈzɪʃən]
surgeon[ˈsɜˑʤən]　general practitioner[ˈʤɛnərəl prækˈtɪʃənəˑ]　psychiatrist[saɪˈkaɪətrɪst]

是认识的朋友而已，没有别的，千万别胡思乱想啊！），以前大家都认为只有 **deranged** 疯了的、发疯的人才去精神病科，现在，随着社会压力的增大，需要求助精神科治疗的人越来越多。

接下来就是，当我们的眼睛异常时需要去找的 **oculist** 眼科医生。在眼科，有一个专为我们测视力 vision **的 optometrist** 验光师，这些人大部分是 **optician** 眼镜商。鼻子、耳朵、喉咙不舒服时就得去找 **otolaryngologist** 耳鼻喉科医生了。不知道是不是因为这个科的大夫工作比较累，所以光是单词就这么长，真是难为大家了。

您是世人的光明啊！

嘻

我在前面提到过，那个吃麦芽糖不小心粘掉了一颗牙的朋友，如果是那样的话，就得赶紧去找 **dentist** 牙科医生了。还有一种医生，专门在完好无损的"病人"的脸上进行美化治疗工作，他们就是我们平时所说的 **cosmetic surgeon** 整容医生。听说，最近这一行业特别挣钱，这些医生都乐得合不拢嘴了，看来他们该为自己的嘴巴整整容了。^ ^

骨碌咔鲁

你终于来啦！

在学习这本书的过程中，如果让你感动得一塌糊涂，以至于心脏**throb**跳动得厉害，请赶快去 **cardiologist** 心脏病专科就诊。这时医生会告诉你："Calm down.冷静。"就这样，诊疗完毕，简单吧！！

嘘嘘（小便）的地方有问题吗？如果有，那得马上去找 **urologist** 泌尿科医生啊。如果肚子突然膨胀，胎儿迫不及待地想出来，那就得赶快去妇产科找 **obstetrician** 妇产科医生。嗨！大肚子女士，你应该去健身俱乐部呀。女性随着年龄的增大，会面临很多与生殖器官有关的gynecopathy 妇科疾病，遇到这种情况应该尽快去找 **gynecologist** 妇科医生检查一下。如果不小心扭伤了脚，那就赶快跑去找 **orthopedist** 整形科医生吧。不过，这时还能跑吗？呵呵～。

看我的书，各位有没有觉得浑身上下奇痒无比呢？如果是这样的话，就赶快去找 **dermatologist** 皮肤科医生看看吧。不是早就告诉过你不要像懒虫那样不洗澡吗？你说不是因为不洗澡而是因为脚气 athlete's foot

throb［θrɑb］ **cardiologist**［ˌkɑrdɪˈɑlədʒɪst］ **urologist**［juˈrɑlədʒɪst］ **obstetrician**［ˌɑbstɪˈtrɪʃən］
gynecologist［ˌgaɪnɪˈkɑlədʒɪst］ **orthopedist**［ˌɔrθəˈpidɪst］ **dermatologist**［ˌdɜrməˈtɑlədʒɪst］

而这么痒，那你就需要去找 **podiatrist** 足科医生（美式英语）了。那些足科医生肯定很受罪吧，因为他们的工作是：一边摸病人的臭脚丫子，一边为他们治疗。有一个单词和 podiatrist 很相似，那就是 **pediatrician** 儿科医生。分不清楚了吧？我也一样。但是这两个词的发音完全不同。从发音、发音、发音上来辨别吧。

你觉得历史上最伟大的医生是谁？在我看来，应该是1953年获得诺贝尔和平奖，深入非洲荒漠行医长达50年之久的史怀哲 Albert Schweitzer 医生。

那么，世界上最差劲的医生又是哪一类呢？就是那种明明你肝脏不好却让你做盲肠手术的 **quack** 庸医。宁愿找一个 **shaman** 巫医驱邪，也不要找这种庸医看病，因为我还想活得长一点呢。^ ^

你这个可恶的庸医！

快逃啊！

podiatrist[pəˈdaɪətrɪst]　　**pediatrician**[ˌpidɪəˈtrɪʃən]　　**quack**[kwæk]　　**shaman**[ˈʃæmən]

单词表

hospital 医院

· 诊所 clinic infirmary 医务室

doctor 医生

医院就诊程序

consult a doctor 接受检查

diagnosis 诊断

prescribe 开药方

nurse 护士

injecting room 注射室

medical fee 诊疗费

prescription 处方笺

dispensary 诊疗室

pharmacy 药房 = dispensary, drugstore

medicine 药 = drug, tablet, pill（药丸）

get some rest 休息

· I suffer from fatigue. 我觉得很疲劳。

be admitted into a hospital 住院

health insurance 医疗保险

医院

general hospital 综合医院

· Oriental Medicine Clinic 中医诊所

clinic 诊所

public health center 卫生所

ambulance 救护车

first aid 急救

emergency room 急救室

patient 患者

radiology 放射科

operating room 手术室

ICU 重症监护室（Intensive Care Unit）

mental institution 精神病院

condolences 吊唁

incense burning 烧香

mortuary 太平间

mortician 殡葬礼仪师

= undertaker, funeral director

医生

treat 治疗 = cure, heal

intern 实习

resident 住院医生

physician 内科医生

surgeon 外科医生

general practitioner 挂牌医生

psychiatrist 精神科医生 = couch doctor

· couch（心理病人接受治疗时躺的）沙发

deranged 疯了的

  = mad, crazy, insane, lunatic, psychotic

oculist 眼科医生

optometrist 验光师

optician 眼镜店

otolaryngologist 耳鼻喉科医生

dentist 牙科医生

cosmetic surgeon 整容医生

throb 悸动；脉搏

cardiologist 心脏病专科医生

urologist 泌尿科医生

obstetrician 产科医生

gynecologist 妇科医生

orthopedist 整形科医生

dermatologist 皮肤科医生

podiatrist 足科医生

· 词根（pod, ped）："脚"

podium:讲台

tripod: tri(3)+ pod（脚）—→三脚架

pedal:踏板，脚蹬

centipede: cent(100)+ ped（脚）—→蜈蚣

expedite: ex(out)+ ped（脚）—→促进

impede: im（里面）+ ped（脚）—→妨碍（把脚放进去）

pediatrician 儿科医生

quack 庸医

shaman 巫医

>>>补充医院相关用语

What are your symptoms?
你有哪些症状？
How long has it been bothering you?
从什么时候开始变得不舒服？ =Since when?
Is the pain severe?很痛吗？
Lie on your back.请躺好。
Lie on your stomach.请趴下。

Lie on your side.
请侧躺。
I'm going to be taking a blood sample.
现在要抽血了。
I will be giving you a shot.现在要准备打针了。
Please rub it hard.请适度地按压。

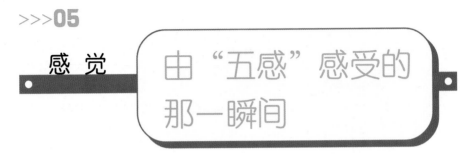

FIVE SENSES

05

感 觉

在这一节，我们要谈的是与我们身体有关的各种 **sense** 感觉。各位都知道我们的身体有视觉、听觉、嗅觉、味觉和触觉这 **five senses** 五种感觉吧。接下来，我们逐一讨论。

>>> 视觉

首先，就是表示用眼睛看的单词，有 see、look、watch 等。刚开始便出现这么多单词，就要眼花缭乱了。这些单词都与人类的第一个感觉 **sight** 视觉有关，所以我们一定要弄明白它们之间的差异。如果大家在逛超市时，碰巧看到我在逛街，就应该用 **see**，仅指"看见"的意思。

● I saw Wender in department store. 我在百货公司看到文德了。

这时，突然一位美女"冒"出来一动不动地站在我的旁边，于是大家的视线便"齐刷刷"转移到她的身上，那就该用 **look at** 了。意思是说，把视线由中心转移到旁边，注视静止的物体。

sense[sɛns]　**five senses**[faɪv sɛnsɪz]　**sight**[saɪt]　**see**[si]　**look at**[luk æt]

see   watch   glance   gaze   glare

● I looked at the beautiful lady beside him.
我看了看他身边的那个美女。

聚精会神地观察某个人的举动，用 **watch**，是指把注意力集中在某一运动的物体上。例如，看着滚沸的汤，或是看电视等。这个词有观察某种动作或是状态的含义。

● He watched TV with me.
他和我在看电视。

瞥我一眼，这个动作叫做 **glance** 一瞥、扫视。目不转睛地盯着我叫做 **gaze** 凝视或者stare。如果我突然向大家"扮鬼脸"，然后你们生气地看着我叫做 **glare** 怒视。走在路上突然看到一只老鼠从你的脚边溜过去，这时你可以说："I caught a glimpse of a mouse.我瞥见一只老鼠。"

好了，现在就看到这儿，该干什么干什么吧。嘿嘿嘿。

要是去东海岸看日落sunset，那这个人的脑子肯定是"进水"了。如果这

watch[wɑtʃ]   **glance**[glæns]   **gaze**[gez]   **glare**[glɛr]

个家伙执意要去东海岸看日出sunrise的话，那肯定会令他**behold**惊叹不已的。

"从窗帘的缝隙中，文德看到了她～。"（哎呀，这有点不道德耶，真不好意思。）这句话中从缝隙中看人的动作叫做**peep**偷窥。哎呀，眼睛好疼啊。我们先说这些吧！

>>> 听觉

说到听觉，我们立马会想到hear和listen to，不过能够正确区分这两个词才算是本事。各位知道我是一个乐队band的**vocalist**主唱吗？啊，不知道？那我现在就告诉你们,以后可不要再忘记了呀！若是各位偶然听到我的歌声，那就叫做**hear**；如果是专门来听我的歌声那就是**listen to**了。你家隔壁住着一对新婚夫妇，某天晚上，不小心听到那对夫妇正在……正在说话，此时的不小心听见就叫做**overhear**，以后若是故意去偷听就叫做**eavesdrop**了。擅长eavesdrop的人可以去国家情报局National Intelligence Agency工作了。嘿嘿。

hear　　listen to　　overhear　　eavesdrop

behold[bɪˈhold]　**peep**[pip]　**vocalist**[ˈvokəlɪst]　**hear**[hɪr]　**listen to**[ˈlɪsn tu]
overhear[ˌovəˈhɪr]　**eavesdrop**[ˈivzˌdrɑp]

声音微弱，勉强可以听见叫做 **faint**，嘈杂的是 **noisy**，震耳欲聋是 **deafening**。五音不全 tone-deaf 的大叔在 KTV 包间里，霸占着麦克风嚎叫的声音，让人听起来很 **strident** 刺耳。受不了这种"噪音"的小姐因此而大叫，这种 **shrill** 尖叫声也会惊起人一身的鸡皮疙瘩。"大家好，我叫苦菜花。还记得我吗？"各位还记不记得这个 **husky** 嘶哑的声音？而这也恰恰是她最大的特色。我觉得自己学她的声音还蛮像的。"大家好～，我是文德。我的玩笑够劲吧？你不说我也知道啦～！"

>>> 嗅觉

下面该看一下靠鼻子闻气味的 **the sense of smell** 嗅觉了。有一天，情人送你一束玫瑰花，你一边闻，一边说："Oh，it's as fragrant as you. 啊，花儿和你一样芬芳。"**Fragrant** 的意思是"芳香的，好闻的"。一不小心，身边美丽的她突然放了个屁 break wind，那你就可以说："Oh，it's just as aromatic as a rose. 啊，这个屁就像玫瑰花一样清香。"听到你的"赞叹"她只是轻蔑地哼 snort 了一声，你就可以说："哎呀，真没出息！！！"然后尽快和她一刀两断，换新的女友。

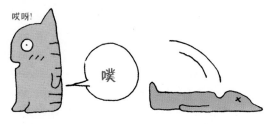

faint[fent]　noisy[ˈnɔɪzɪ]　deafening[ˈdɛfnɪŋ]　strident[ˈstraɪdnt]　shrill[ʃrɪl]　husky[ˈhʌskɪ]　fragrant[ˈfregrənt]

若有口臭，人人都会对你敬而远之。形容难闻的气味，英文是 **stinky** 发出恶臭的。闻一下味道则用 **smell**。

把鼻子凑近一点，一个劲地闻，叫做 **sniff** 嗅。这是狗狗最擅长的本领，没准它只是在搜索你口袋里有没有骨头呢。^ ^它们之所以这样，大概是因为人们一见到狗狗就扔骨头给它们吃吧。呵呵。

● The dog sniffed at a stranger. 狗闻了闻陌生人身上的气味。

>>> 味觉

接下来就是靠嘴巴品尝味道的 **the sense of taste** 味觉了。用嘴巴尝味道叫做 **taste**，而 taste 也有好多种。大家听说过"良药苦口"这句话吧？"Good medicine always tastes bitter." 其中的 **bitter** 苦的是指口感很苦。

也许有人会觉得"啃"这本书有点苦，但是，我还是建议大家耐着性子把它看完，这样对你有好处，"良药苦口利于病，忠言逆耳利于行"嘛。我也一直在努力，尽最大力量使写出来的内容少一些乏味，多一些趣味。^ ^

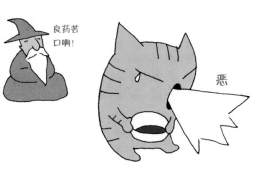

放了醋 vinegar 的食物或者没熟透 green 的水果，吃起来有些 **sour** 酸。放

---

stinky[ˈstɪŋkɪ]　**smell**[smɛl]　**sniff**[snɪf]　**taste**[test]　**bitter**[ˈbɪtɚ]　**sour**[ˈsaʊr]

不好意思，味道是不是太淡了点……

了糖的食物就会**sweet**甜一点，放了辣椒粉 red pepper powder 的食物就会**hot**辣一点。我怕辣，所以比较喜欢**flat**清淡的食物。因此，文德吃的韩式炒年糕颜色都会淡一点。如果嫌口味过于清淡的话，就放一点芥末

mustard，味道真得很不错哟。呵呵。

● It's too hot for me.
这对我来说太辣了。

>>> 触觉

这满脸的胡子茬是我最迷人的地方哟。

下面让我们来看看触摸 touch 时的种种感觉吧。婴儿的皮肤摸起来很**smooth**柔滑；反之，如果想感受一下**rough**粗糙的感觉，摸一下爸爸下巴上的胡子茬就明白了。^ ^

有没有把手放进滚烫 boiling 的沸水中的经历？想必一定很**hot**烫吧，弄不好还会**scalded**烫伤呢。往热水中倒入凉水就会成为**lukewarm**温的水。如果你不曾有过这种感觉，教你一个好办法，就是下次小便 urine 时往自己的手背上滴几滴，保你这辈子都不会忘记 lukewarm 这个词。这种体验单词的

冷咖啡
"冷咖啡"用英语怎样表达？答案是 cold coffee。那么冰咖啡呢？对了，是 iced coffee。
"微温的"用英语单词 lukewarm 来表示，也可用这个词形容某人不愠不火的态度。顺便可以告诉大家，cold cash 是指"真钞"，可别误解成"冷现金"，cold fish 也不是指"冷鱼"，而是指"冷冰冰、缺乏热情的人"。

sweet[swit]　**hot**[hɑt]　**flat**[flæt]　**smooth**[smuð]　**rough**[rʌf]　**scalded**['skɔldɪd]
lukewarm['luk'wɔrm]

方式真是够绝的。^ ^;; 温水的温度 temperature 再下降一些就会变得 **cool** 清凉。再下降一些就是 **cold** 冰凉了。

呃…有点冷耶。

除了以上所提到的五种感觉外，人们会把 **hunch** 预感或者 **intuition** 直觉称作 **sixth sense** 第六感。我记得很久以前有一部影片，由布鲁斯·威利斯 Bruce Willis 主演，电影的片名就叫《The Sixth Sense》(灵异第六感)。

我的第六感告诉我，如果大家能够从头到尾读完这本书的话，各位的英文单词能力一定会提高一个台阶。^_^

cool[kul]　cold[kold]　hunch[hʌnʧ]　intuition[ˌɪntjuˈɪʃən]　sixth sense[sɪksθ sɛns]

——单词表

sense 感觉

five senses 五感

视 觉

sight 视觉 = vision

see（非主观意志上的）看见

· I saw Wender in Department Store。

我在百货商店看见文德了。

look at 看

· I looked at the beautiful lady beside him。

我看了看他身边的那个美女。

watch 注视，观看（移动中的人或物）

= keep one's eyes on

· He watched TV with me.他跟我在看电视。

· I kept my eyes on the man and the woman.

我默默注视着那对男女。

glance 一瞥，扫视

· glance at 瞥一眼 ~

gaze 凝视 = stare

· gaze at（由于惊讶）凝视 ~= stare at

glare 怒视

· glare at 怒视 ~

· catch a glimpse of 扫视

behold 因感叹而注视

peep 窥视，偷看

听 觉

vocalist 声乐家,歌手

hear 听见

· I heard him singing.我听见他在唱歌。

listen to（竖起耳朵）听

· I listened to his song.我倾听他唱歌。

overhear 偶然听到，无意中听到

eavesdrop 偷听 = bug, wiretap

faint 微弱的，模糊的

noisy 嘈杂的 = loud, vociferous, boisterous, clamorous

deafening 震耳欲聋的 = earsplitting

strident 刺耳的 =harsh

shrill 尖锐的，刺耳的

husky 嘶哑的 = hoarse, raucous

嗅 觉

the sense of smell 嗅觉

fragrant 清香的 = aromatic, scented

stinky 臭的 = stenchy,nasty

smell 闻，嗅

sniff 用鼻子吸或嗅

· The dog sniffed at a stranger。狗闻了闻那个陌生人的气味。

味 觉

the sense of taste 味觉

taste 味道，品味，品尝

bitter 苦的

· Good medicine always tastes bitter. 良药苦口。

sour 酸的

sweet 甜的

hot 辣的 = pungent, piquant

· It's too hot for me. 对我来说这个太辣了。

flat 清淡的

触 觉

smooth 光滑的

rough 粗糙的

hot 热

scalded 烫伤

lukewarm 微热，温的 = tepid

cool 凉爽的

cold 冷的

hunch 预感

intuition 直觉

sixth sense 第六感

06

动物

一定要知道的动物名称

除了我们人类，在这个世界上还有很多 **animal** 动物在繁衍生息。就算是世界上英语水平最好的人也不可能说出所有动物的英文名字。在这一节中，我只是带领大家去熟悉几个我们日常生活中非知道不可的动物的英文名字。不过到时候可别埋怨我没教你们家养的那只 **pet** 宠物的英文名字。言归正传，还是认真跟我学下去吧！

>>> 家畜和宠物

小时候，我家在一个连电都没有通的小山沟里，那时家里养了很多动物。

首先是我们家 **shed** 牛圈里养的那头 **cow** 母牛。那时候家里忙，我得帮着给这个家伙喂 **fodder** 饲料，现在回想起来，感觉蛮好的。T_T有一天，父亲把它带到别人家和一头健壮的雄性 **bull** 黄牛 **mate** 交配，不久，我家的 cow 生下了一头小 **calf** 牛犊。正是这头 calf 伴我度过了幸福的童年。啊！时光易逝，难追忆～。

bull影射用语
like a red rag to bull意思是指在公牛面前摇晃红布，用来比喻"某人在气头上却火上浇油"。

animal[ˈænəml]　pet[pɛt]　shed[ʃɛd]　cow[kaʊ]　fodder[ˈfɑdɚ]　bull[bʊl]　mate[met]
calf[kæf]

还有，我们家有一只聪明伶俐的珍岛（是位于全罗南道西南边珍岛郡的主要岛屿，适于农耕，岛上特有的纯种珍岛狗尤为出名）**dog**狗，它的名字叫小白，整天守在自己的小屋 shed 前。实际上，它并不是纯血统的珍岛狗，而是**hybrid**杂交的。小白很能生，一窝可以生七八只特别**cute**可爱的**puppy**小狗。只可惜，每次都会有一两只因为难产而死去。

牛圈旁边还有一个猪圈，一头整天没事做只会"哼哼"的**pig**猪在**pen**圈栏里拱来拱去。它住的地方实在是能臭 stinky 死人。我们家还养了一只**goat**山羊，它总是悠闲地在我家门前的草地上啃着草。总之，我们家除了人之外，还养了很多 **mammal** 哺乳动物。＾＾

dog[dɔg] **hybrid**[ˈhaɪbrɪd] **cute**[kjut] **puppy**[ˈpʌpɪ] **pig**[pɪg] **pen**[pɛn] **goat**[got]
mammal[ˈmæml]

58

除了这些 **livestock** 家畜还养了一些 **poultry** 家禽。院子里有一大捆稻草 rice-sheaf 堆在一边，稻草旁边常常会有三四只 **hen** 母鸡和一只 **cock** 公鸡在悠闲地晒太阳。有时母亲会从集市上买回 10 来只 **chick** 小鸡放养在院子里，可想而知，院子总是被它们搞得天翻地覆的。想到这些小鸡，真是又爱又恨。至今还记得每天早上在稻草上捡到几个 **egg** 鸡蛋时的兴奋心情，就好像每天都可以从圣诞老人那里接受礼物一样。^ ^

● Our hen lays an egg everyday.
我们家的母鸡每天都会下一个蛋。

鸡群附近总会有一群 **duck** 鸭子在游荡，但是对这些鸭子我却有着"不好的回忆"。有人说，我的名字（文德的韩文是 Moon-duk）写成英文就是 **moon** 月亮 **duck** 鸭子。当人们开玩笑说我是从月亮上飞来的鸭子时，我感觉有点伤心。呜！！

由于是乡下，所以在厕所里经常会看到 **rat** 老鼠窜来窜去。刚一开始，有点害怕，时间长了也就习惯了，也就不觉得害怕了。倒是当你蹲在茅坑上大便时，冷不防一只 **cat** 猫窜出来抓老鼠，会吓你一大跳。

livestock[ˈlaɪvˌstɑk] **poultry**[ˈpoltrɪ] **hen**[hen] **cock**[kɑk] **chick**[tʃɪk] **egg**[ɛg]
duck[dʌk] **rat**[ræt] **cat**[kæt]

>>> 野生动物

下面我只说一些大家必须知道的动物，要想知道更多的动物，我劝大家去动物园zoo看看吧。^_^

小时候，一到夏天那吓人的**snake**蛇总是那么多，外出的时候身上还要带根棍子stick，当然是为了见到蛇时可以把它打死beat to death。要是碰到有**poison**毒的**viper**毒蛇，那就要吓得尿裤子了。呵呵。但是我却不害怕**lizard**蜥蜴。

● I was nearly bitten by a viper.
我差点被毒蛇咬到。

忘了什么时候，我见过一次蛇吞**frog**青蛙的场面，当时如果有数码相机digital camera的话……。蛇的嘴巴大得惊人，一口就把青蛙吞进去了。我觉得那条蛇有点贪心，它应该去吃**tadpole**蝌蚪，那该有多舒服呀，一口一个，毫不费力。

一口小点心而已。

哎呀！
我的妈耶！

青蛙既可以在水里生活也可以在陆地上生活，所以我们将它归类为两栖动物，英文是"**amphibian**"。而蛇应该归类为**reptile**爬行动物。

还有~乌龟属于什么种类呢？冷饮类！（韩国有一种冰棍就叫做乌龟）（超冷笑话 ¯..¯）

---

snake[snek]　　**poison**['pɔɪzn]　　**viper**['vaɪpɚ]　　**lizard**['lɪzɚd]　　**frog**[frɔg]　　**tadpole**['tæd,pol]
amphibian[æm'fɪbɪən]　　**reptile**['rɛptl]

再来一个~海女（下海打捞海带之类海产品的女人）又属于什么种类呢？两栖类！（这个玩笑有点过分了，嘻~）

有时候在 **ditch** 水沟、沟渠里可以看到自由自在游来游去的 **a school of fish** 鱼群，当然还有 **leech** 水蛭了。我家附近有一个大湖，经常可以看到有人在那儿钓 **carp** 鲤鱼。有时候用 **fishing net** 渔网也会抓到 **tortoise** 乌龟和 **eel** 鳗鱼。听说吃鳗鱼对提高 **stamina** 精力很有好处，哎~，早知道那样，当时多吃点鳗鱼就好了。小时候，觉得鳗鱼长得有点像蛇，所以不敢吃。真是后悔啊。

放学回家的路上时常会看到 **grasshopper** 蚂蚱在草丛里一蹦一跳的。更令人害怕的是树上一堆 **caterpillar** 毛毛虫在蠕动，长着数不清的脚和令人浑身起鸡皮疙瘩的毛，真是恐怖！

树底下成群结队的 **ant** 蚂蚁正在辛勤地劳作着。细细观察，它们各自有着明确的分工，有条不紊地工作着，着实让人吃惊。小时候因为淘气，去捅 **beehive** 蜂窝被 **bee** 蜜蜂蛰 sting 得满头是包。还记得我们邻居家的小弟弟被 **wasp** 黄蜂蛰了，不知道受了多少苦呢。

ant
have ants in one's pants,意指"坐立不安、心神不定"。另外，形容忙得不可开交的英文是as busy as a bee.

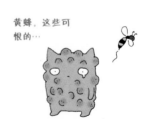

- I was stung by a bee.
  我被蜜蜂蛰了。

ditch[dɪtʃ]   **leech**[liːtʃ]   **carp**[kɑrp]   **fishing net**[ˈfɪʃɪŋ net]   **tortoise**[ˈtɔrtəs]   **eel**[il]
stamina[ˈstæmənə]   **grasshopper**[ˈgræsˌhɑpə]   **caterpillar**[ˈkætəˌpɪlə]   **ant**[ænt]
beehive[ˈbihaɪv]   **bee**[bi]   **wasp**[wɑsp]

61

要是运气好的话，还可以看到藏在石头缝里的 **weasel** 黄鼠狼。听老人说，要是洞口有烟雾，它就会从洞里跑出来看看，出于好奇，我就和朋友在洞口抽了足足一整包的烟呢！糟糕！还是一无所获。另外，山里还有很多 **hare** 野兔，到了冬天还经常被父亲抓回家呢。

要不说嘛，不好好呆在月亮上跑到人间来干什么，害得被人抓。哎哟，看来真是傻瓜耶～。Hare 圈养在家里，失去了自由，时间久了就变成 **rabbit** 家兔了。依我看它们还是喜欢回到山里做"野兔"，那样会比较自由。呵呵。

>>> 鸟类和昆虫

春天，到处都可以听到 **swallow** 燕子"叽叽喳喳"地叫着。有一对燕子在我家屋檐 eaves 下"搭窝"繁育后代，它们进进出出衔泥筑巢、忙忙碌碌打食喂雏的情形至今依然历历在目。那时我常常躺在院子里的平台上睡午觉，冷不防会有一只燕子"噗"的一声向我发射"臭蛋"，然后骄傲地飞去，真是气人啊。山上还不时传来一阵 **cuckoo** 杜鹃的叫声。乡下的春天，处处充满生机。多么令人怀念的故乡啊！

乡下是个非常宜人的地方，可是偏偏到了夏天，为什么会有那么多的 **insect** 昆虫呢？这不免让人觉得有点不舒服。尤其是 **mosquito** 蚊子更烦人，恨不得扒它们的皮、吃它们的肉、喝它们的血。不是吹的，在乡下，晚上睡觉时挂双层的 **mosquito net** 蚊帐都不一定能安心入睡呢。

---

weasel[ˈwizl]　hare[hɛr]　rabbit[ˈræbɪt]　swallow[ˈswɑlo]　cuckoo[ˈkʊku]　insect[ˈɪnsɛkt]
mosquito[məˈskito]　mosquito net[məˈskito nɛt]

● I hardly slept because of the mosquitoes last night.
因为有蚊子我昨晚没睡好。

每次蹲在茅坑上大便时，就更不用说了，那叫一个"惨"啊。成群的蚊子围着你的屁股打转，那"嗡嗡"的叫声听了真叫一个"惨人"。我只好一面拼命地喷洒 **insecticide** 杀虫剂，一面完成那刚完成一半的"大业"，呜呜。"**Moth** 飞蛾扑火"的故事大家都听过吧。它们总是像个潜伏者 stalker 一样，一旦有了"目标"（在此指光亮），就会奋不顾身地扑上去，要是灯泡 bulb 还好，若是一堆火，那可就惨了，只能是灰飞烟灭了。它们的精神有值得学习的一面，也有值得吸取教训的一面。还不止这些呢，更有不计其数的 **ephemera** 蜉蝣，不知道是不是"嗜好"人类的气味，它们也会不顾一切地扑将上来。白天虽没有飞蛾的骚扰，但是却有更加烦人的 **fly** 苍蝇的侵袭，所以在乡下生活，一定要拿一个 **flyflap** 苍蝇拍，以备不时之需。哎呀，盼望着夏天快点过去～。

词根cid表示"杀死、砍杀"
词根cid有"杀死、砍杀"之意，而insecticide中cid前面是insect（昆虫）。因此，这个单词指的是"杀虫剂"。
·herb（草）+cide（杀死）→除草剂（herbicide）

我有五个兄弟喔.

那它们都在哪里呢?

秋天来了，山上会有很多的 **pheasant** 野鸡扑腾着翅膀飞来飞去。不时还会看到 **eagle** 苍鹰 **soar** 翱翔天际，每当此时，也希望自己能像苍鹰一样在无边无际的天空自由自在地飞翔，不过自己却没有一双像鹰一样可以飞翔的翅膀!^ ^; 有一件事，我一直搞不明白，为什么 **sparrow** 麻雀总是站在电线 electrical wire 上呢？难道它们是在充电 recharge 吗？呵呵。

小时候，总觉得看到 **crow** 乌鸦是一种不祥的预兆，有点恐怖、阴森。大

insecticide[ɪnˈsɛktəˌsaɪd]　**moth**[mɔθ]　**ephemera**[əˈfɛmərə]　**fly**[flaɪ]　**flyflap**[ˈflaɪˌflæp]
pheasant[ˈfɛznt]　**eagle**[ˈigl]　**soar**[sɔr]　**sparrow**[ˈspæro]　**crow**[kro]

为什么大家都喜欢你而不喜欢我呢？

嘎

贺新年

概是因为它们全身黑黢黢的吧。我特别喜欢 **magpie** 喜鹊，所以经常在树上留一两颗柿子，算是留给喜鹊的"晚餐"吧。实际上，是因为我没有胆量爬那么高的树去摘树梢上那一两颗柿子 persimmon。呵呵。

冬天会是怎样的景象呢？说实在的，我并不清楚。因为我特别怕冷，所以几乎整天都待在家里不出门。偶尔从门缝或是窗子往外望去，总会看到山上的野鸡还是那么得忙碌；有时候还可以看到一群 **migrating birds** 候鸟飞向远处。哎哟，好冷啊～。寒冷的冬夜里，在炭火上烤个红薯 sweet potato，热腾腾的红薯，再配上一碗爽口的泡菜汤，那叫一个美！哎呀，受不了，肚子呱呱叫了，口水都流出来了。

>>> 鱼类

fish

like a fish out of water意思是"如离开水的鱼"，通常用来形容怀才不遇，无法发挥自己才干的人。

Fish 鱼的种类也很多，在此我只讲大家最常见的几个。不要觉得我小家子气哟。

韩国泡菜汤里，一定不会少的是哪一种鱼呢？没错！就是 **tuna** 金枪鱼。一到产卵季节，就会成群结队逆流而上的 **salmon** 鲑鱼也很美味耶。冬天大家在钓鱼场钓到的大多是 **trout** 鳟鱼，我也曾钓到过一条很大的耶。大家喜欢吃 **squid** 鱿鱼吗？听说，鱿鱼丝吃多了会伤胃 stomach 的，所以千万不要吃得太多哟，吃一点就行了，剩下的都给我。嘿嘿。

magpie[ˈmæɡˌpaɪ]　migrating birds[ˈmaɪɡˈretɪŋ bɚdz]　fish[fɪʃ]　tuna[ˈtunə]　salmon[ˈsæmən]
trout[traʊt]　squid[skwɪd]

Octopus章鱼有几只脚呢？答曰：8只。日历表上的October就是从octopus衍生而来的。奇怪了，你说的October不是10月吗？当然没问题。可是以前October是指8月。虽然这个说法听起来有些奇怪、不合常理，但是我说的确实是实话，没有一点儿骗你。我们经常见到

的章鱼体型都比较小，所以英文是small octopus。小时候，妈妈经常给我做 **oyster** 牡蛎饭吃……。令人回味的味道～。

　　如果你还想知道比目鱼、鲈鱼的英文怎么说？那就有点让我为难了。不过，我知道把这些鱼切成生鱼片，再加上醋和辣椒酱一起吃，那可是人间美味啊！

>>> 动物园里的动物

　　第一次和爸爸去动物园 zoo 时，我差点吓晕 faint 了。真是应有尽有、无所不包。

Monkey 猴子以十分敏捷的 nimble 动作在笼子里窜来窜去。长得像 **gorilla** 大猩猩的 **ape** 黑猩猩的坐姿，就跟一个坐在那里看别人打牌的人的样子一样。太像人类了，难怪被称做 **anthropoid** 类人猿呢。还有 **wolf** 狼和 **fox** 狐狸，它们长得有点像，所以直到现在我还分不清它们谁是谁呢。有点遗憾，我没有看到 **bear** 熊，可能它们正在洞里做美梦呢。最令我兴奋的是，我还亲眼看到了以前只听别人提起过的 **ostrich**

oyster

The world is your oyster.意思是"世上的一切都是你的"，这可不是说西方人都把牡蛎当饭吃，在此oyster意味着"随心所欲"。因此，这句话就可以解释为"随心所欲地去做任何事情"，换言之，可用来鼓励他人"这广阔的世界，随时任人发挥"，与Do anything you want.You can do anything.的意思是一样的。

wolf

a wolf in a sheep's clothing 是指"披着羊皮的狼"。另外，as sly as a fox的意思则是指"像狐狸一样狡猾"，负面的含意是用来形容行为举止神秘诡谲的人。

octopus[ˈɑktəpəs]　oyster[ˈɔɪstɚ]　monkey[ˈmʌŋkɪ]　gorilla[gəˈrɪlə]　ape[ep]
anthropoid[ˈænθrəˌpɔɪd]　wolf[wulf]　fox[fɔks]　bear[bɛr]　ostrich[ˈɑstrɪtʃ]

鸵鸟以及正在骄傲地开屏的 **peacock** 孔雀。**Parrot** 鹦鹉我也见到了，可是不管我怎么逗它，这个家伙就是不说一句话，惹得路过的游客以一种异样的眼光看着我，呜呜~。还有 lion 狮子、**tiger** 老虎、**elephant** 大象、**deer** 鹿、**camel** 骆驼、**giraffe** 长颈鹿、**owl** 猫头鹰等等。啊，好像还落下了 **penguin** 企鹅，企

鹅跑哪儿去了？后来，我们好不容易爬到一栋大楼的 63 层才看到了企鹅。呵呵呵。在大楼的 **aquarium** 水族馆里，我们没有看到 **whale** 鲸鱼，但却看到了可爱的 **dolphin** 海豚和凶悍的 **shark** 鲨鱼。

到这里，好像我们常见的动物都说过了。不过，到现在我也没有机会（好像是不可能有机会）看到 **dinosaur** 恐龙！不好，一只恐龙时代就已经存在的 **cockroach** 蟑螂正偷偷摸摸从我电脑前爬过去。稍等……我要搞一次"暗杀"活动——手纸偷袭蟑螂。呵呵呵，我得手了。

小时候由于住在乡下，我姐姐的头上长了很多 **louse** 虱子，一到晚上我们一家人帮她抓。另外，家里的 **flea** 跳蚤也很多。姐夫请不要责怪我的姐姐嘛，她头上的虱子是我传染给她的~。不仅仅是虱子和跳蚤，我们身上还有 **parasite** 寄生虫呢，这些讨厌的家伙，想过好日子，干嘛不去富人身上寄居呢？嘿嘿。

好了，关于动物的名字就说到这里吧！可爱的动物们，拜拜喽~。

peacock[ˈpiˌkɑk]　parrot[ˈpærət]　lion[ˈlaɪən]　tiger[ˈtaɪgɚ]　elephant[ˈɛləfənt]　deer[dɪr]
camel[ˈkæml]　giraffe[ʤəˈræf]　owl[aʊl]　penguin[ˈpɛŋgwɪn]　aquarium[əˈkwɛrɪəm]
whale[hwel]　dolphin[ˈdɑlfɪn]　shark[ʃɑrk]　dinosaur[ˈdaɪnəˌsɔr]　cockroach[ˈkɑkˌroʧ]
louse[laʊs]　flea[fli]　parasite[ˈpærəˌsaɪt]

ANIMALS 各种动物

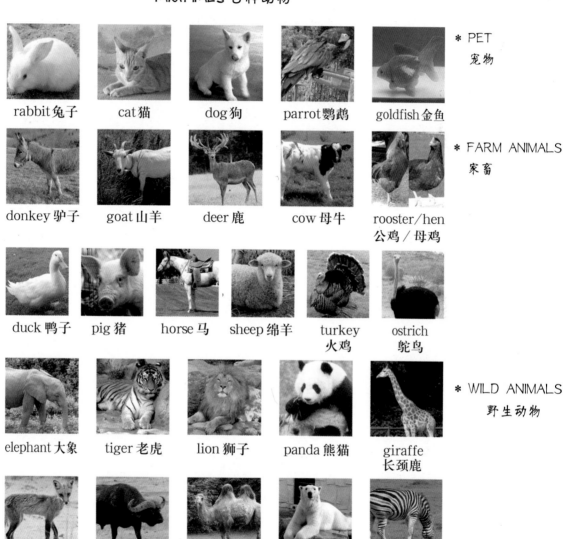

rabbit 兔子   cat 猫   dog 狗   parrot 鹦鹉   goldfish 金鱼

* PET 宠物

donkey 驴子   goat 山羊   deer 鹿   cow 母牛   rooster/hen 公鸡／母鸡

* FARM ANIMALS 家畜

duck 鸭子   pig 猪   horse 马   sheep 绵羊   turkey 火鸡   ostrich 鸵鸟

elephant 大象   tiger 老虎   lion 狮子   panda 熊猫   giraffe 长颈鹿

* WILD ANIMALS 野生动物

fox 狐狸   buffalo 水牛   camel 骆驼   polar bear 北极熊   zebra 斑马

单词表

animal 动物

pet 宠物

家畜和宠物

shed 棚子，牲口圈

cow 母牛

· bull 未去势的公牛

  ox （去势的）公牛

  calf 牛犊

  beef 牛肉

  veal 小牛肉

fodder 饲料 = forage

bull （未去势的）公牛

mate 交配

calf 牛犊

dog 狗

· hound 猎犬

  cur 野狗

hybrid 杂种（的），混血（的）= cross, mongrel

cute 可爱的

puppy 小狗崽

pig 猪

· hog 长大的猪

  piglet 猪仔

  boar 未去势的公猪

  sow （大）母猪

  swine 猪

pen 圈

goat 山羊

mammal 哺乳动物

livestock 家畜

poultry 家禽

hen 母鸡

cock 公鸡

· hen 母鸡

  chicken, chick 小鸡

  chicken 鸡肉

chick 小鸡

egg 鸡蛋

· Our hen lays an egg every day.
  我家的母鸡每天下一个蛋。

duck 鸭子

rat 老鼠

cat 猫

野生动物

snake 蛇

· serpent (尤指体形大或有毒的)蛇

  viper 毒蛇，蝰蛇

  cobra 眼镜蛇

  anaconda 蟒蛇

poison 毒

viper 毒蛇

· I was nearly bitten by a viper. 我差点被毒蛇咬了。

lizard 蜥蜴

frog 青蛙

tadpole 蝌蚪

amphibian 两栖动物

· （ambi-, amphi-）: "两个的，双面的"

ambidexterous: ambi（两个）+ dexterous（手灵巧的）

→灵巧的双手

ambivert: ambi（两个的）+ vert（转）→既外向又内向

的人（双重性格者）

ambiguous: 模棱两可的，暧昧的

reptile 爬虫类

ditch 水沟，沟渠

a school of fish 鱼群

leech 水蛭

carp 鲤鱼

fishing net 渔网

tortoise 乌龟

· tortoise 陆龟

turtle 海龟

eel 鳗鱼

stamina 精力

grasshopper 蚂蚱

caterpillar 毛毛虫

ant 蚂蚁

beehive 蜂窝

bee 蜜蜂

· I was stung by a bee. 我被蜜蜂蜇了。

wasp 黄蜂

weasel 黄鼠狼

hare 野兔

· hare and tortoise 兔子和乌龟

rabbit 家兔

鸟类和昆虫

swallow 燕子

cuckoo 布谷鸟

insect 昆虫

mosquito 蚊子

· I hardly slept because of the mosquitoes last night.
昨晚因为有蚊子我几乎一夜没睡。

mosquito net 蚊帐

insecticide 杀虫剂

· 词根 cid："杀死"

genocide: gen（血统）+ cide（杀死）→种族灭绝

homicide: home（人）+ cide（杀死）→杀人

suicide: sui（自己）+ cide（杀死）→自杀

herbicide: herb（草）+ cide（杀死）→除草剂

partricide: partri（父亲）+ cide（杀死）→弑父

matricide: matri（母亲）+ cide（杀死）→杀母

filicide: fil（子女）+ cide（杀死）→杀死孩子

moth 飞蛾

ephemera 蜉蝣

· ephemeral 朝生暮死的, 生命短暂的 = transient, transitory, volatile, evanescent, fleeting

fly 苍蝇

flyflap 苍蝇拍

pheasant 野鸡

soar 翱翔

eagle 鹰 = vulture

· hawk 鹰, 隼 = falcon

sparrow 麻雀

crow 乌鸦

magpie 喜鹊

migrating birds 候鸟

鱼 类

fish 鱼

tuna 金枪鱼

salmon 鲑,大马哈鱼

trout 鳟鱼

squid 鱿鱼

octopus 章鱼

oyster 牡蛎, 海蛎子

动物园的动物们

monkey 猴子

gorilla 大猩猩

ape 黑猩猩

anthropoid 类人猿, 似人类的

wolf 狼

fox 狐狸

bear 熊

ostrich 鸵鸟

peacock 孔雀

parrot 鹦鹉

lion 狮子

tiger 老虎

elephant 大象

deer 鹿

camel 骆驼

giraffe 长颈鹿

owl 猫头鹰

penguin 企鹅

aquarium 水族馆

whale 鲸鱼

dolphin 海豚

shark 鲨鱼

dinosaur 恐龙

cockroach 蟑螂

louse 虱子

flea 跳蚤

parasite 寄生虫

>>> 关于动物的补充单词

ass驴子　　canine狗、犬科动物　　donkey驴子　　feline猫科动物　　horse马　　lamb小羊　　sheep绵羊

07

植 物

知道这些植物的名字
才算有水平

　　这一节我们要介绍一下在 **creature** 生物界中占到一半以上的 **plant** 植物们。大致上，植物可分为 **grass** 草本植物和 **tree** 乔木两大类。至于区分它们的依据是什么，很难一时半会儿说得清。一般来说，枝干持续生长一年以上的可归为 tree，反之就是 grass 了；还有一种方法就是断开后可以看到 **annual ring** 年轮的就是树，反之就是草。这么说来，**bamboo** 竹子就是草而不是树了。我的一个朋友告诉了我一个更加"离谱"的方法，他说可以用镰刀 sickle 割断的就是草，需要用锯 saw 才能锯断的就是树。^ ^; 这个朋友真是有点奇怪，看来应该和他断绝关系为妙。^_^

看到没？
都说过
我是 tree 了！

喔，真的耶！

creature[ˈkriːtʃə] **plant**[plænt] **grass**[græs] **tree**[tri] **annual ring**[ˈænjʊəl rɪŋ]
bamboo[bæmˈbu]

>>> 认识植物

植物的 **root** 根埋在土里是为了吸收水分和营养 nutrition。当然，也有可能是为了不倒下去才这么做的。^_^ 植物的茎，用英文说是 **stem**。但是，一般来说，**stalk** 是指草或者花的茎，而 **trunk** 则多用于指树木的干。顺着干向上可以看到 **branch** 树枝，大的树枝叫做 **bough** 粗枝，小的叫做 **twig** 细枝。拿人体来做比喻的话，手和脚就是 bough，而手指和脚趾就是 twig 了。^_^ 爬到树上，站在 twig 上，会出现什么状况呢？掉下来，头破血流。呵呵～。树枝上还长着 **leaf** 叶子，到了收获的季节，树枝上还挂满了 **fruit** 果实。

我是 bough.
我是 twig.
我也是

- This tree bears no fruit.

  这棵树不结果子。

别指望我能结果

果实的中心有一个坚硬的 **core** 核，里面装有 **seed** 种子。吃完水果后，拿 core 泡酒喝，虽不太卫生，但也算是可口的果子酒喔。^_^

我是 bud.

开 flower 了

春天一到，所有的植物都开始 **bud** 发芽，一段时间后慢慢开出 **flower** 花朵。像郁金香 tulip 这样的观赏花 ornamental flower 就被归为 **bloom** 开花植物。**Fruit tree** 果树上开的花叫做 **blossom**。春天可以去汝矣岛欣赏樱花，樱花的英文名称是 **cherry**

trunk
trunk 虽然是用来指树木的枝干，但同时也可用来指旅行用的大皮箱、大象的鼻子，和汽车的后备箱。

leaf
like a leaf 是"犹如树叶"的意思。换句话说，这是形容树叶被风吹得颤抖的景象，是用来形容一个人身体在颤抖的状态。

---

root[rut]　　stem[stɛm]　　stalk[stɔk]　　trunk[trʌŋk]　　branch[brænʧ]　　bough[baʊ]　　twig[twɪg]
leaf[lif]　　fruit[frut]　　core[kɔr]　　seed[sid]　　bud[bʌd]　　flower[ˈflaʊə]　　bloom[blum]
fruit tree[frut tri]　　blossom[ˈblɑsəm]　　cherry blossom[ˈʧɛrɪ ˈblɑsəm]

blossom，有谁知道樱花的果实叫什么？对了，就是"樱果"喔。

呼呼

我不会枯萎的

生日时，收到好朋友送来的**bunch of flowers**花束，一定要在**petal**花瓣**wither**凋谢之前，把它们插到**flower vase**花瓶里，这样做才能使花朵开得持久一点。如果你不忍心看到花瓣凋谢，那就去买一束**artificial flowers**人造花吧，放在家里好几个月都不会坏。呵呵。

>>> 植物的种类

小时候，我以为这个世界上最多的花朵就是**cosmos**大波斯菊呢，村子路旁到处都是。我家后院有个小小的**flower bed**花坛，里面种了很多**garden balsam**凤仙花。我还记得，

不要碰我

害羞

当时有一朵凤仙花开了，姐姐把花瓣摘下来，用力挤压，把红红的汁液涂到指甲上，还向我炫耀呢。听说凤仙花是贞操的象征，所以还叫做touch-me-not，和那个**forget-me-not**勿忘我一样，都是很美丽的名字。对了，在花坛的边缘还开了很多漂亮的**morning glory**喇叭花。小时候，我还以为喇

trumpet call
直接翻译成中文，意思是"喇叭、小号的声音"，另有"紧急呼唤"的意思。

叭花可以发出像喇叭一样的声音 trumpet call 呢。可这是绝对不可能的呀。￣··￣ 春天，在上学的路上，到处可以看到我们家没有的黄色的**golden bell**金钟花和红色的**rose**玫瑰花，漂亮极了。

bunch of flowers[bʌntʃ əv ˈflauɚz]　**petal**[ˈpɛtl]　**wither**[ˈwɪðɚ]　**flower vase**[ˈflauɚ ves]
artificial flower[ˌɑrtəfɪʃəl ˈflauɚ]　**cosmos**[ˈkɑzməs]　**flower bed**[ˈflauɚ bɛd]
garden balsam[ˈgɑrdn ˈbɔlsəm]　**morning glory**[ˈmɔrnɪŋ ˈglɔrɪ]　**golden bell**[ˈgoldn bɛl]
rose[roz]

我们平时吃的泡菜pickled cabbage就是用**Chinese cabbage**大白菜做的。有人问我为什么在**cabbage**白菜前面要加上Chinese这个词呢？据说是因为做泡菜用的大白菜的原产地是中国，所以才如此命名。做寿司卷用的腌萝卜pickled radish是用**radish**萝卜做成的。**Garlic**大蒜对人体健康很有益处。好希望在超市里可以买到用大蒜制成的饮料汁，要是那样的话，我就买它个十几箱，放在家里天天喝。

西方人认为**onion**洋葱和garlic一样对人体健康大有裨益，所以他们的很多食物中都加入了洋葱。汉堡里面不是就有吗？不喜欢洋葱的人，看到食物里夹的洋葱，就会大声喊："Hold the onions.不要洋葱。"既然有利于健康，那就拧住鼻子，一口气吞下去吧，千万不要学《蜡笔小新》中那个讨厌青椒的小新喔。在韩国，除了洋葱和大蒜外，富含辣椒素capsaicin和维生素vitamin的**red pepper**辣椒也被广泛加入到各种食物中去。

你要不要吃？听说对视力有好处喔。

拿来。

小时候，很想成为大力水手，所以吃了很多**spinach**菠菜。还有，听说**carrot**胡萝卜对眼睛好，所以妈妈让我吃了很多胡萝卜，不知道是不是因为这个，我的视力非常好～。另外，自己还常常到田里去摘新鲜的**cucumber**黄瓜和**tomato**西红柿吃，那场景现在仍然历历在目。

cucumber
as cool as a cucumber是指"冷静"的意思。

你这小鬼！

老伯，对不起啦！

夏天，每每跟父母去田里摘**melon**香瓜和**watermelon**西瓜时，都会有一种莫名的兴奋和紧张感。刚开始的时候，我分不清西瓜和**pumpkin**南瓜，只有把它们切开时，才知道自己错了。呵呵～。

Chinese cabbage[ˈtʃaɪniz ˈkæbɪdʒ]　　**radish**[ˈrædɪʃ]　　**garlic**[ˈgɑrlɪk]　　**onion**[ˈʌnjən]
red pepper[rɛd ˈpɛpər]　　**spinach**[ˈspɪnɪtʃ]　　**carrot**[ˈkærət]　　**cucumber**[ˈkjukʌmbər]
tomato[təˈmeto]　　**melon**[ˈmɛlən]　　**water-melon**[ˈwɔtər ˈmɛlən]　　**pumpkin**[ˈpʌmpkɪn]

我从小就爱吃 **strawberry** 草莓，由于家里没有种，所以常常到山上去摘 **wild berry** 野草莓吃。也许是因为这个原因吧，现在一到草莓园里，我就异常得兴奋。哎呀，太不好意思了~！

我家旁边有一棵很大的**fig tree**无花果树，它的旁边还有三棵**persimmon tree**柿子树。一到秋天，我们家就有吃不完的柿子，都吃腻了。大家应该都知道柿子吃多了会便秘吧？

邻村有一户有大片的 **orchard** 果园，那里有我们家没有的 **apple** 苹果、**(Chinese) pear** 梨子、**grape** 葡萄和 **peach** 桃子。每次从果园门口经过，你都不知道我有多羡慕啊！真想进去"偷"几个吃。我家后山有很多无人看管的 **chestnut tree** 栗子树，所以，一到秋天我就带着弟弟去摘栗子吃。

>>> 各种树木

一般树木统称为 **tree**，而个头矮小的则叫做 **shrub** 灌木或者 bush。**wood**是指广泛用于建筑方面的木材。

● This table is made of wood.
这张桌子是用木头做成的。

在韩国最不缺的树木就是 **pine tree** 松树。一到秋天，尤其是周末的时

---

strawberry[ˈstrɔˌbɛrɪ]　**wild berry**[waɪld ˈbɛrɪ]　**fig tree**[fɪg triː]　**persimmon tree**[pəˈsɪmən triː]
orchard[ˈɔrtʃəd]　**apple**[ˈæpl]　（Chinese）**pear**[（tʃaɪˈniz）pɛr]　**grape**[grep]　**peach**[pitʃ]
chestnut tree[ˈtʃesˌnʌt triː]　**tree**[triː]　**shrub**[ʃrʌb]　**wood**[wʊd]　**pine tree**[paɪn triː]

真漂亮！

候，高速公路上被堵得满满当当、水泄不通，大家都是为了去一睹 **maple tree** 枫树的风采哟。我的一本书的扉页中还夹有一片枫叶呢。另外，**oak tree** 橡树的木质是出了名的 **hardy** 结实，多用于制作各种家具 furniture。

小时候，为了采集制作果冻 jelly 最佳的材料 **acorn** 橡实，只身一人在森林里转来转去，都不觉得害怕。在转悠的过程中，要是碰到 **ivy** 常春藤挡住了去路，我得费半天的工夫把它弄断，才能继续前进。你不会绕道而行啊，真是笨！哎呀，当时我怎么就没想到呢。现在让我们大家来做一个小小的测验！哪种树是树木中最有钱的树呢？对了，就是 **gingko tree** 银杏树(韩国语中"银杏"与"银行"的发音与写法完全相同。)，它身上全是"银子"哟。嘿嘿。

请听好，下一个问题是：马拉松比赛中获得第一名的选手头上一般都戴什么呢？答案就是 **laurel crown** 桂冠！！

---

maple tree[ˈmepl tri]　**oak tree**[ok tri]　**hardy**[ˈhɑrdɪ]　**acorn**[ˈeˌkɔrn]　**ivy**[ˈaɪvɪ]
gingko tree[ˈgɪŋko tri]　**laurel crown**[ˈlɔrəl kraʊn]

岁月不待人啊…

盛夏，大部分的树木都 **verdant**
郁郁葱葱，尽情地展示着自己的身姿。
可是到了秋天，尤其是入冬以后，一
部分树木的叶子会掉光，这类树木
就叫做 **deciduous tree** 落叶树；
一部分树木仍然枝繁叶茂、四季
常青，这类树木就叫做 **ever-
green tree** 常绿树。希望大家
老了以后，也能像常绿树一样，青春永驻、活力充沛。

像松树那样叶子呈针状的树木叫做 **coniferous tree** 针叶树，在我看来，
针叶树的叶子可以当牙签用。^ ^阔叶树的英文名字是 **broad-leaved tree**。
而属于阔叶树的棕榈树的英文名字却是 **palm**。Palm原来是手掌的意思，而
棕榈树的叶子长得就像手掌一样，所以取名palm。这么看来，风起的时候，
棕榈树该玩自拍自乐的游戏喽。哈哈～～。

嗨!

你好!

verdant[ˈvɚdnt]　deciduous tree[dɪˈsɪdʒuəs tri]　evergreen free[ˈevɚˌgrin tri]
coniferous tree[koˈnɪfərəs tri]　broad-leaved tree[brɔd livd tri]　palm[pɑm]

VEGETABLES 蔬菜

radishs 萝卜	zucchini 西葫芦	eggplant 茄子
tomatoes 番茄	corns 玉米	potato 马铃薯

artichoke 洋蓟　　asparagus 芦笋　　beets 甜菜　　broccoli 西兰花　　cauliflower 菜花

cabbage 洋白菜　　lettuce 莴苣（生菜）　　brussel sprout 抱子甘蓝　　carrot 胡萝卜　　sweet potato 地瓜

turnip 芜菁(大头菜）　　leek 韭葱　　green onions 葱　　onions 洋葱　　garlic 大蒜

cucumber 小黄瓜　　spinach 菠菜　　chilli peppers 尖辣椒　　peas 豌豆　　sweet peppers 柿子椒

单词表

creature 生物

plant 植物

grass 草

tree 树

annual ring 年轮

bamboo 竹子

认识植物

root 根

stem 植物的茎或干

stalk （草或花的）茎

trunk 树干

branch 树枝

bough 大树枝

twig 细枝

leaf 叶子

· foliage 树叶的总称

fruit 果实

· This tree bears no fruit. 这树不结果。

· autumn foliage 红叶

core 核

seed 种子

bud 发芽 = sprout, shoot

flower 花

bloom （观赏类的）花

fruit tree 果树

blossom （果树上开的）花

cherry blossom 樱花

bunch of flowers 花束

petal 花瓣

wither 凋谢

flower vase 花瓶

artificial flower 假花，人造花

植物的种类

cosmos 大波斯菊

· cosmos 大波斯菊，宇宙，秩序

chaos 混沌，无序

flower bed 花坛

garden balsam 凤仙花 = touch-me-not

forget-me-not 勿忘我

morning glory 喇叭花

golden bell 金钟花

rose 玫瑰

Chinese cabbage 大白菜

cabbage 洋白菜

radish 萝卜

garlic 大蒜

onion 洋葱

red pepper 辣椒

spinach 菠菜

carrot 胡萝卜

cucumber 黄瓜

tomato 番茄

melon 甜瓜

watermelon 西瓜

pumpkin 南瓜

strawberry 草莓

wild berry 野生草莓

fig tree 无花果树

persimmon tree 柿子树

orchard 果园

apple 苹果

(Chinese) pear 梨

grape 葡萄

peach 桃子

chestnut tree 栗子树

各种树木

shrub 灌木 = bush

wood 木材,森林

· This table is made of wood.这张桌子是用木材做的。

pine tree 松树

maple tree 枫树

oak tree 橡树

hardy 坚硬的

acorn 橡实

ivy 常春藤

gingko tree 银杏树

laurel crown 桂冠

verdant 翠绿的

deciduous tree 落叶树

evergreen tree 常绿树

coniferous tree 针叶树 = needle-leaf tree

· needle 针

broad-leaved tree 阔叶树

palm 棕榈树(因树叶形似人的手掌而得名)

>>> 补充单词

ginseng 人参   greengrocer 菜贩   narcissus 水仙花   vegetable 蔬菜

2

TWO

TWO

情感与性格

别 笑!
我是英文单词书 ◀◀◀◀

Don't Laugh!
I'm An English Book

开心与伤心

快乐因分享而加倍，
悲伤因分担而减半

>>>开心

　　人类最基本的**emotion**情感应该是**joy**开心和**sorrow**悲伤吧？因为刚刚出生的婴儿就可以自如的**smile**笑和**cry**哭。我想应该没有人会认为刚出生的婴儿baby就懂得**envy**嫉妒和**wrath**愤怒吧？什么？那个小家伙用的尿不湿diapers居然比我用的超级"吸水力"还要强？哼～气死人了！！

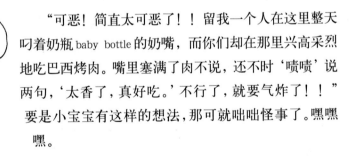

　　"可恶！简直太可恶了！！留我一个人在这里整天叼着奶瓶baby bottle的奶嘴，而你们却在那里兴高采烈地吃巴西烤肉。嘴里塞满了肉不说，还不时'啧啧'说两句，'太香了，真好吃。'不行了，就要气炸了！！"要是小宝宝有这样的想法，那可就咄咄怪事了。嘿嘿嘿。

　　笑也分很多种。不出声只是面带笑容叫做smile，出声则是**laugh**。一般情况下，这两个单

emotion[ɪˈmoʃən]　**joy**[dʒɔɪ]　**sorrow**[ˈsɑro]　**smile**[smaɪl]　**cry**[kraɪ]　**envy**[ˈɛnvɪ]
wrath[ræθ]　**laugh**[læf]

词就够用了。补充一点，露齿而笑叫做 **grin**。在脑子里试想一下，一个面目狰狞的人露着黄牙朝你奸笑的样子，保你倒吸一口凉气。

若是有朋友拉肚子，不小心弄在了内裤上，那你就会忍不住**giggle**咯咯地笑他（她）了。当饱经便秘constipation之苦的人士，好不容易一周才成功排解了一次，那你就可以**chuckle**哧哧地笑他（她）了。说不定，你的弟弟正在厕所门口 **Laugh at**嘲笑你呢，"嘿嘿，我姐姐的肚子里一定装有一个化粪池septic tank！要不然怎么会攒了这么好多天呢？"哈哈哈！！

要是你中了乐透彩lottery一等奖，记得一定要躲起来 **inside joke** 偷偷笑喔。要是你 **burst into laughter**狂笑不止弄得大家都知道了，保证不用多久，就有很多你并不认识的"亲人"在你家门口排起"长龙"stand in a line，这叫自作自受。当然了，我便第一个去按你们家门铃，"你一定认识我吧，我叫文德，就是英文单词书的作者，我并不贪心，你给我十万就够了～～！！"嘿嘿。

如果我们要给别人带来 **amuse** 欢笑，那么我们肚里的**joke**笑话一定不能少。往往**ludicrous** 可笑的故事来自于人们的日常生活中。

词根lud "玩"
词根lud有"玩"的意思。ludicrous是lud后面加一个形容词后缀（-ous）变成了"有趣的"意思。

---

grin[grɪ] **giggle**[ˈgigl] **chuckle**[ˈtʃʌkl] **laugh at**[læf æt] **inside joke**[ɪnˈsaɪd dʒok]
burst into laughter[bɜːst ˈɪntə ˈlæftə] **amuse**[əˈmjuz] **joke**[dʒok] **ludicrous**[ˈludɪkrəs]

我有这么一个笑话，不知大家听过没有？从前有个人在路上走着走着突然很想大便 feces，可是一时又找不到厕所，所以只好走进一家自助 self-service 银行（也称无人银行）里，看了看没有人只有自动取款机 ATM，就急忙在地上铺了张报纸，偷偷地方便了一把。由于害怕被别人看见，完事后就赶紧把报纸包好溜出了银行。此时，一个骑摩托车的飞贼 thief 以迅雷不及掩耳的速度从他手上把报纸抢走。这个人更有意思，在后面还喊了两句："抓贼啊，抢钱了。"飞贼心里发毛的同时，那个人正笑得前仰后合呢。当那个强盗打开报纸的时候一定得晕过去吧？ ^_^

抓贼啊，
抢钱了！

快升！

常听这些有趣的故事，心情会变得很 **joyous** 愉快的。心情舒畅，身体自然健康。

登山
提到"登山"是不是有人马上就联想到 climb 这个单词呢？可是，严格来说，climb 是形容带着完整的登山装备去攀爬悬崖峭壁的情形。如果是越野车之旅或一般地爬山，就应该用 hiking。

迷幻药 ecstasy
让人产生严重幻觉或是容易中毒的麻药称为 ecstasy。通常是胶囊或是药丸的形状，又称摇头丸。

听说，对于身体健康来说，大笑一次的效果相当于一次登山 hiking 的效果。既然这样，世界上最有益于身体健康的运动是什么呢？当然是一边登山，一边大笑了。^ ^; 说不定还能超越单纯的开心，达到 **ecstasy** 狂喜的状态呢。咦！有人的口袋里有摇头丸 ecstasy，"警察叔叔，赶快把他们抓起来，他们想独自享乐、独自'摇头'呢。" ^_^

我之所以这么卖力地逗大家开心，主要是想提高大家的英语水平。英语水平提高的同时，也让

joyous[ˈdʒɔɪəs]　**ecstasy**[ˈɛkstəsɪ]

大家健康长寿了，还不赶快谢谢我。呵呵。"文德老师真像我们的健康天使。"不能像这样心怀感激也就算了，居然还有的学生在我发下去的问卷调查表 questionnaire 上写道："你是来上课的，还是来开玩笑的？" 呜呼哀哉！每当听到有人这么说时，我都会感到非常沮丧。每当此时，我都会去爬山，沿途像个傻子一样痴痴地笑，后来我发现这样做心情会好点，大概是因为脑子里又产生了新的脑内啡 endorphin 吧。我是不是受得刺激太大了，才会这样的？呵呵～。

>>>伤心

如果我们的生活里天天都能充满笑容和欢乐该有多好啊！无奈，生活里总有让人 **make a face** 皱眉头的事情发生。话又说回来了，要是我们天天都是开心的，没有 **upset** 心烦意乱的时候，那他们那些"忧伤派"流行歌手怎么活下去呢？所以说嘛，忧伤还是有一点好处的。^_^要是一天到晚笑个不停还真有点神经不正常。嘿嘿。

按照心理学的说法，人在 **regret** 后悔的时候最容易沮丧。换句话说，就是人在后悔的时候，会变得 **depressed** 意志消沉、心情落寞、思维迟钝、不懂变通。所以，不做日后让自己后悔的事情，便是创造幸福人生的秘诀 secret of a happy life！要是做

词根 press "压"
词根 press 意为"压"，那么 depress 是什么意思？depress 是由"往下"的 de 和 press（压）两个词结合而成的词，可解释为"使意示消沉"。
· im（在）+press（压）→给予感动（impress）

---

upset[ʌpˈset]　regret[riˈgret]　depressed[diˈprest]

了昧良心的事情也不后悔也不承认，那么这样的人也算是 **shameless** 厚颜无耻了。

足球比赛常识
大家常说的8强，英文的说法是quarterfinals，4强则是semifinals，决赛是finals。

我自己也是一个做完事后又常常后悔的人。比如，上一次为了看韩国与马里 Mali 的奥运足球预选赛 preliminary match，我熬了通宵，结果第二天的课足足迟到了30分钟。对于这件事，别提我有多后悔了。面对一大早就在教室里等我上课的学生们，我的良心受到深深的 **compunction** 谴责。更糟糕的是，上课的时候，我还在不停地打瞌睡呢……。^ ^;;

思乡病
形容一个人身在异乡，内心充满"思乡"情怀可用nostalgia和homesick，这两种用法的差别在哪里？这么说吧，去国外留学，内心却对祖国想念到不行的叫homesick。好不容易学成归国了，在国内很巧的发现了，留学时每天早上必定进去喝杯咖啡的Starbucks，然后回想当时的幸福心情而感到心情愉快的叫nosalgia。

我出生在淳朴的乡下，所以常常 **homesick** 思乡。想念我的父母。糟了，**mournful** 忧伤这个家伙又来了。尤其想到去年过世的奶奶，就忍不住 **shed tears** 掉眼泪，奶奶，我好想你~！

让他去吧！

● I often shed tears for my deceased grandmother.
我常常因为想念过世的奶奶而流泪。

近来，在街上时常可以看到一些很 **pathetic** 可怜的人，我很 **pity** 同情他们。看到这些人如此艰难地生活，想到自己却过着快乐富足的生活，这不免让我感到有些愧疚。看电视的时候，大家一定很容易 **sympathize** 同情那些剧中的悲情人物，有时也会莫名其妙地 **moan** 呜咽吧？我可就是这样耶。^ ^;

---

shameless[ˈʃemlɪs]　**compunction**[kəmˈpʌŋkʃən]　**homesick**[ˈhomˌsɪk]　**mournful** [ˈmɔrnfəl]
shed tears[ʃɛd tɛrz]　**pathetic**[pəˈθɛtɪk]　**pity**[ˈpɪtɪ]　**sympathize**[ˈsɪmpəˌθaɪz]　**moan**[mon]

哭也有很多种类。例如，cry 是出声的哭，**weep** 哭泣是静静地流泪、不出声的哭。你问我这个世界上有没有哭到全身抖动的哭泣？我想应该有吧。女生的哭泣方式一般是 **sob** 啜泣。这会不会是因为担心 **wail** 嚎啕大哭让人烦才采取的哭泣的方式呢？嗳嗳……别激动，我是开玩笑的。嘿嘿。

幼儿园的小朋友最擅长这一套了，开始是 **whimper** 抽噎，然后是 **blubber** 哭诉。"爸爸，我要去儿童乐园，去儿童乐园嘛～。"要是看到爸

爸没有反应，他（她）或者撒泼，或者知趣地自己去一边玩。通常，小孩是没有心机的，先前发生的事情一两个小时就忘了。所以，奉劝各位，下次你家的小孩哭着对你有所求的时候，记得忍耐一两个小时，一切又都会变得犹如起初一样了。^ ^

我妹妹小时候超级爱哭，大家给她起了个外号叫做 **crybaby** 爱哭鬼。因为爱哭，所

weep[wip]　sob[sɑb]　wail　[wel]　whimper[ˈhwɪmpɚ]　blubber[ˈblʌbɚ]
crybaby[ˈkraɪˌbebɪ]

以她的眼睛总是像金鱼眼一样，红红的、肿肿的，哭得累了就睡着了。

● My sister's eyes were swollen, she was crying so much.
我妹妹爱哭，所以眼睛肿肿的。

记得韩国有一位名叫全英禄的歌手，他有一首歌曲，名字叫做《我的爱哭鬼》，活像为我妹妹量身定做的。"你那双美丽的眼睛啊～有着可爱的眼屎哟。究竟有什么不愉快的事情呢？你漂亮的眼睛上竟有眼屎～～～ ♫♪ 。"这首歌大概就是这么唱的吧。呵呵。^ ^;;

appease的由来
ad（to）+pease（平静）
→平息
peace是和平、平静的意思，那表示"抚慰"的appease是怎样构成的呢？ap-是ad-的变体，有to的含意，表示"接近、方向、强调、增加"等。pease是peace的变体。ap+pease即为使人向平静的方向转变，"使人冷静，抚慰"的意思。

她那么爱哭，但是当我背着她、**appease**安慰她的时候，她的情绪就会缓和许多。因为她要是还哭的话，我可管不了那么多，拳头可不长眼。哈哈。

appease[əpiz]

90

单词表

emotion 情绪

joy 快乐

sorrow 悲伤

smile 微笑

cry 哭

envy 嫉妒

wrath 气愤

laugh 大笑

grin （露齿）笑

giggle 咯咯笑

chuckle 咻咻地笑

laugh at 嘲笑

inside joke 偷笑

burst into laughter 爆笑

burst out crying 猛地哭了起来

amuse 逗别人笑

joke 笑话

ludicrous 荒唐可笑的，滑稽的

· 词根 lud："玩"

ludicrous:lud（玩）+ous（形容词后缀）→可笑的

collude:com（共同）+lud（玩）→共谋

delude:de（强调）+lud（玩）→哄骗，欺骗

prelude:pre（事先）+lud（玩）→前奏

postlude:post（后）+lud（玩）→结尾

joyous 快乐的

ecstasy 狂喜，摇头丸（毒品的一种）

make a face 皱眉头

Don't make such a long face.别这样拉着长脸。

upset 烦乱的,不高兴 =down

regret 后悔

depressed ①意志消沉的 ②不景气的

· 词根 press："按，压"

depress:de（向下）+press（按）→使意志消沉

impress:im（内）+press（按）→使记忆深刻

compress:com（强调）+press（按）→压缩

suppress:sub（向下）+press（按）→镇压，禁止

repress:re（强调）+press（按）→抑制

shameless 厚脸皮的

compunction 内心不安，悔恨

homesick 想家的

mournful 悲哀的，令人惋惜的

shed tears 流泪

· I often shed tears for my deceased grandmother.

想起过世的奶奶，我经常会流下眼泪。

pathetic 可怜的

· 词根 path："感觉（feel）"

pathetic:path(感觉)+tic（形容词后缀）→可怜的

antipathy:anti（相反的）+path（感觉）→反感

apathy:a（否定）+path（感觉）→不关心的，冷淡的

telepathy:tele（远的）+path（感觉）→心灵感应

也可作为"不成样子的，无药可救的，丑的"意思。

Isn't it pathetic?这简直不成样子啊。

You're pathetic.你太让人寒心了。

pity 同情

sympathize 同情（他人）

moan 悲伤，呜咽

weep 不出声的哭

sob 啜泣

wail 痛哭

whimper 抽噎

· Starts off with a bang and ends with a whimper.虎头蛇尾。

blubber 号啕大哭

crybaby 爱哭鬼

appease 哄，安抚

惊吓与恐惧

宇宙无敌、超级吓人的恐怖故事

生活中常常会遇到一些不可思议的事情，让你 **surprised** 感到吃惊的。在这一节，我们将按照惊讶程度的大小做一排序，看看它们的名字在英文上有什么区别。

● surprise<astonish[amaze] <astound<dumbfound<consternate [alarm]

从上面的排序，我们可以很清楚地看到 **alarmed** 惊恐的所表示的程度最重，而 surprise 则最轻。所以，如果你用下面这句话来表达几乎让人窒息的震惊消息时，就显得有点"傻"了。

● I was surprised at the news.
我听到这个消息很惊讶。

大清早，耳边响起闹钟 alarm 振聋发聩的声音，自己依然无动于衷的人，根本就是无视 alarm 的存在，更不能体会到闹钟的微妙之处 nuance。宁静、舒适的清晨都可以被闹钟铃声惊醒，足可以看出闹钟的惊人力量所在了

surprised[sə'praɪzd]　alarmed[ə'lɑrmd]

吧，但是现在人的赖床功力却更胜一筹，闹钟也越来越不奏效了，看来闹钟生产商应该考虑生产更吵闹noisy的闹钟才行了……。下面的这些声音，我觉得适合做闹钟铃音：打雷声、杀猪时的哀号声、用钉子刮铁门的声音……。如果有谁发明了这种闹钟，请尽快与我联系，咱们可以洽谈合作事宜的问题。＾＾

一辆巴士停在路边，你由于找不到厕所只好躲到车后方便，这时车子突然发动了引擎，你一定会吓得魂飞魄散吧？"人要倒霉的时候，喝凉水都塞牙缝。"这时司机又准备倒车，那你该怎么办？在这种尴尬的场景下被人撞见的心情，英文可以这样说 **embarrass** 难为情。正在进行中的事情怎么能停下来呢？你只好配合倒车的速度，一边倒退一边完成未完成的"革命事业"了。咯咯咯。万一碰到一位乘客从后门下车，那真叫一个 **dismay** 惊慌失措耶。在这种惊慌失措、尴尬不已的情况下，最好的办法就是装作是精神病患者 psycho 了。也许他会同情地看你两眼，然后走开呢。＾＾;

有时候，一些事情会令你惊讶到感觉恐惧的程度，英文上称为 **frighten** 使惊恐，这个词与 surprise 有区别。

● I was surprised at the news. 我听到这个消息很惊讶。
● I was frightened at the news. 我听到这个消息很惊恐。

embarrass[ɪmˈbærəs]　dismay[dɪsˈme]　frighten[ˈfraɪtn]

形容 **fear** 恐惧的用语当中，因场景不同说法也各异。一群人集体性感到恐惧叫做 **panic**。例如，传闻要开战或是发生恐怖事件时，我们感到的就是 panic。依稀记得以前一个歌星的名字就叫做 Panic，好特别耶。呵呵呵。

● Don't panic.请勿惊慌！

空前的恐惧panic
据说Pan此一用语原自一位神的名字，是希腊、罗马神话故事里的"山神"。他的长相奇丑无比，而且生性善于嫉妒，所以，总是喜欢出其不意的出现，让来到山中约会的情侣们惊吓不已。后来，世人就将突如其来巨大的恐惧称作panic。

我虽不是佛教徒Buddhism，可是当看到寺庙里供奉的高高在上的菩萨时，内心油然而生一种 **awe** 敬畏之感。那是一种让人觉得安详、肃然起敬，又有点害怕的感觉。每次走进寺庙望着菩萨的时候，我都有点心虚，因为佛祖可以看透我的心思，我的隐私在佛祖面前也会暴露无遗。也许是基于这样的原因吧，每次我都会不自觉地对着佛祖忏悔。

有一次，我弟弟在放学回家的路上，看到路边有一具尸体。

那该是多么 **awful** 可怕的场面啊。也许是那次受到了太大的刺激，这个家伙到现在也还时常做噩梦呢。咯咯咯。在一个漆黑的夜晚，你一个人在家，这时一个长头发、绿眼睛、满嘴是血的鬼ghost出现在你的面前，还 **intimidate** 威胁说要吃掉你，那可真是一件 **ghastly** 恐怖的事情啊。搞不好，你早就 **aghast** 吓傻

intimidate
intimidate是"in（在）+timid（胆小的）+ate（使~变成）"的组合词。因此，可解释为"使之感到威吓"。

fear[fɪr]　**panic**[ˋpænɪk]　**awe**[ɔ]　**awful**[ˋɔfl]　**intimidate**[ɪnˋtɪmə͵det]　**ghastly**[ˋgæstlɪ]
aghast[əˋgæst]

了，浑然不知已经尿裤子了，或者早已昏厥过去，不省人世了。

● He stood aghast at the terrible sight.
　他被那可怕的场景吓丢了魂，木呆地站在那儿。

要是恋人向你提议到公墓public cemetery来个野营camping，你会如何反应？

要是你接受挑战，那你还真是个**brave**勇敢的人。像我这样胆小的人是绝对不可能接受挑战的。＾＾不过，倒是听说，没有任何地方比得上公墓更能增进两人的感情了。因为两人整夜都抱在一起发抖呢。哈哈。如果你恰好与文德一样也是没有这种胆量的人，那就等着她指着鼻子骂你是**coward**懦夫或者对你大发雷霆吧，"你这么**cowardly**胆小今后怎么能捍卫我们的爱情呢？还是分手吧！！"如果有一天，你的情人真的向你提出了这样稀奇古怪的要求，趁早分手为妙。因为你的情人100%是只九尾狐，她的目的就是引诱你。＾_＾

耶……
喂……

brave[brev]　coward['kaʊəd]　cowardly['kaʊədlɪ]

surprised 惊讶的

· I was surprised at the news.听到这个消息我很惊讶。

alarmed 惊恐的,忧虑的

· alarm clock 闹钟

· set the alarm clock 定闹钟

  turn off the alarm clock 关闹钟

  The alarm clock goes off.闹钟响了。

embarrass 使局促不安

dismay 使惊慌

frighten 使害怕

· I was frightened at the news. 这个消息使我感到害怕。

· fright 恐怖

  flight 飞行，逃跑

  freight 货物

fear 恐怖，害怕,担心

panic 集体性的恐怖，恐慌

· Don't panic.请镇定，不要恐慌。

· The sudden slump in stocks caused a panic with investors.

  股价骤降，投资者纷纷陷入恐慌。

awe 敬畏

awful 可怕的 =terrible

intimidate 威胁

ghastly 让人起鸡皮疙瘩的恐怖

· get goosebumps 起鸡皮疙瘩

aghast 惊骇的,吓呆的

· He stood aghast at the terrible sight.

  他看到那可怕的场景吓得丢了魂，木呆地站在那儿。

brave 勇敢的

coward 胆小鬼

· 他是胆小鬼。
  He is yellow-bellied.
  He has no guts.
  He has no backbone.
  He is a coward.
  He's a chicken.

cowardly 胆小的,怯懦的

嫉妒·失望·愤怒

她漂亮吗？
没眼光,走开!

人类的情感能够进化evolution吗？如果说**joy**快乐和**sorrow**悲伤是人

类最基本的情感的话,那么**anger**
生气、**fear**恐怖以及**envy**嫉妒应该
算是比较进化或者比较退化的情
感了吧。随着年龄的增长,我们那
些**innocent**单纯的情感,早已被
搀杂了很多杂质,慢慢变得**cor-
rupt**堕落的了。这样想是不是太消
极了？啧！！

词根rupt "瓦解"
词根rupt意为"瓦解"。
corrupt此单词中,cor是
表示强调com的变体,与
rupt结合之后就成了表示
"堕落的"意思。
· dis(隔离)+rupt(瓦
解)→破裂的(disrupt)

上面的这些词中,嫉妒envy与不幸有着最密切的关系。如果我们超越
了羡慕这种情感,而是到了猜忌比自己优秀superior的人,甚至到了**jealousy**嫉
妒的程度,那我们原本单纯的灵魂就到了一种不可救药的ir-
remediable地步了。所以,我们还是做一个容易**con-
tent**知足的人更好。至于我,当然很
满足现在所拥有的一切以及所
从事的工作了。嘿嘿。你们听说
过"Happiness consists in

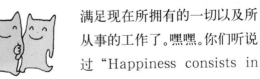

joy[ʤɔɪ] **sorrow**[ˈsɑro] **anger**[ˈæŋgə·] **fear**[fɪr] **envy**[ˈɛnvɪ] **innocent**[ˈɪnəsnt]
corrupt[kəˈrʌpt] **jealousy**[ˈʤɛləsɪ] **content**[kənˈtɛnt]

contentment.知足常乐。"这句话吗？

话虽如此，当然也没必要一定要压制envy这种心理状态。对成功人士抱以envy，**wish**希望有一天自己也能像他们一样获得成功，这本来就是一件天经地义的事嘛。尤其是对于青年人来说，一定的羡慕可以助长他们追求成功的**ambition**野心。

我可是有理想有抱负有为的懒猫。

喔！看得出来

当我们尽力去做某件事情而又未能如愿时，难免会感到有些**disappointment**失望。现在你正在进行着一个追求court漂亮MM的大"密谋"，如果第一个计划落空你就觉得**disappointed**失望的话，是不是有点太经不住考验了呢？经常可以听到有人这么鼓励别人，"Little strokes fell great oaks.水滴石穿。"但是我对这句话不敢苟同，爱讲这句话的人本身就是个深不可测的"谋略家"stalker。呵呵。

Don't disappoint me.

I envy you.
有人知道美国人为什么不太爱对人说I envy you.（真让人羡慕~）这句话吗？我们先来假定你有一个朋友下周即将出发去海外旅游，通常这种情形我们最自然的反应是脱口说出："真令人羡慕~"。但是，大部分的美国人则会说"哇~那真是太棒了，祝你玩得愉快"。我想，他们大概是想到如果自己对朋友说I envy you.的话，朋友会不知如何回应，只好回答："你也可以去啊！"，为了避免造成彼此的尴尬才会这么说吧。

wish[wɪʃ]　**ambition**[æmˈbiʃən]　**disappointment**[ˌdɪsəˈpɔɪntmənt]　**disappointed**[ˌdɪsəˈpɔɪntɪd]

不过我倒是很欣赏下面这句话，"Easy come, easy go. 得来易，失去也易。" 这是一句奉劝世人的名言，意思是说：包括爱情在内的任何事情都不能不劳而获。

相亲
当你想告诉你的朋友"我昨天去参加了朋友安排的相亲的事"时请这样说：
"I had a blind date yesterday."

朋友要为你介绍对象—— 一个完美的男人，并想安排你们的初次约会 blind date。那你应该先警告你的朋友："Don't let me down. 别让我失望。" 事与愿违，最后你往往只有失望的份了。呵呵。起初听朋友介绍，那个人简直就是一个白马王子，又高又帅，等到见面的时候，大失所望，对方简直就是一个像猪八戒一样的丑八怪；说是同龄 the same age 人，实际上完全可以做你的叔叔了。ㅡ..ㅡ;; 所以最好不要去参加什么朋友安排的"相亲约会"为好。

词首en–"造成"
en-有"造成"的意思，而enrage是en(make)加上表示"愤怒"之意的rage构成的。因此，可解释为"使愤怒"。
・en(make)+danger（危险）
→使遭到危险（endanger）

很多时候失望容易导致 anger 生气。没事乱打一通电话骚扰朋友，人家当然会 **irritate** 恼怒了。如果是 **collect call** 对方付费，那人家就会变得 **enrage** 暴怒了。朋友可能在 **rage** 盛怒之下与你断交 break off 呢。＾＾父亲告诉我，单纯的 **angry** 生气的状态并不能导致癌症的发生，而是在 **indignant** 愤怒的的状态下却又不 **get angry** 生气，**swallow one's anger** 忍气吞声，久而久之，积淀而成癌症。哇，爸爸真了不起，还知道这些呢～。

● I got angry with her. 我生她的气了。

---

anger[ˈæŋɡɚ]　**irritate**[ˈɪrəˌtet]　**collect call**[kəˈlɛkt kɔl]　**enrage**[ɪnˈreʤ]　**rage**[reʤ]
angry[ˈæŋɡrɪ]　**indignant**[ɪnˈdɪɡnənt]　**get angry**[ɡet ˈæŋɡrɪ]　**swallow**[ˈswɑlo]

● I got angry at her rude behavior.

我因为她那粗鲁的举动而生气。

听人说，经常 **sullen** 绷着脸的或者 **blunt** 迟钝的人，到了晚年，身体的健康状况会一天不如一天的。所以，如果你的性格是 **irritable** 易怒型的，那就试着好好控制一下吧。哎呀，又皱眉头了。这样不好的，放松一些～～。

sullen[ˈsʌlən]　**blunt**[blʌnt]　**irritable**[ˈɪrətəbl]

单词表

joy 快乐

sorrow 悲伤

anger 生气

fear 害怕

envy 嫉妒

· jealousy 嫉妒

· be green with envy 嫉妒

　green eye 充满嫉妒的眼神,眼红

innocent 单纯的,无罪的,不懂事的,幼稚的

corrupt 污浊的, 腐败的,堕落的

· 词根（rupt）:"打破"

corrupt:com+rupt→污浊的,堕落的

rupture:rupt（打破）+ure（名词词尾）→破裂

disrupt:dis（远的）+rupt（打破）→使分裂

erupt:ex（外面的）+rupt（打破）→喷出，爆发

jealousy 嫉妒

content 知足的

· complacent 满足的,自满的（self-satisfied）

wish 愿望

ambition 抱负, 野心

· ambitious 有野心的

disappointment 失望

disappointed 失望的

irritate 使烦躁

collect call 对方付费电话

enrage 暴怒

· 前缀（en）:"使"

enrage:en（make）+rage（愤怒）→使愤怒

endanger:en（make）+danger（危险）→使危险

enlarge:en（make）+large（大）→使变大, 详细说明

rage 愤怒

angry 生气的

indignant 愤怒的

get angry 生气

· I got angry with her.我生她的气了。

　I got angry at her rude behavior.我因为她粗鲁的行为生气了。

swallow one's anger 忍气吞声, 压抑愤怒

irritable 易怒的

sullen 愠怒的,闷闷不乐的

blunt 钝的, 直爽的

· 我今天不开心。

I feel annoyed today.

I am not in good humor today.

性格与品性

嘿，
臭脾气改一改吧！

为什么每一个人的 **personality** 性格都会不同呢？依据古人的话来说，是因为人体内有四种 **humor** 体液，它们分别是：象征活力的 **blood** 血，呈现身体乏力状态的 **phlegm** 痰、粘液质，表现怒气的 **bile** 胆汁以及代表抑郁心情的 **melancholy** 黑色胆汁。它们不同的排列 disposed 方式决定了人的先天 **disposition** 气质。所以英文中也有类似于 **phlegmatic** 冷淡的、**choleric** 易怒的、**melancholy** 忧郁的等这些单词。

melancholy

melancholy 和 down 和 depressed 在意思上有些差别。down 或 depressed 是因为不顺利，心情感到忧郁，而 melancholy 则是指习惯性或是与生俱来的个性。

melancholy 是 melan(black) 与 chloer（胆汁）的复合词。听说古人都认为，身体里的胆汁过多会造成人性格上的忧郁。

你的体液里黑色
胆汁比较多哟。

我好忧郁喔……

---

personality [ˌpɜːsnˈælətɪ] **humor** [ˈhjumɚ] **blood** [blʌd] **phlegm** [flɛm] **bile** [baɪl]
melancholy [ˈmɛlənˌkɑlɪ] **disposition** [ˌdɪspəˈzɪʃən] **phlegmatic** [flɛɡˈmætɪk] **choleric** [ˈkɑlərɪk]

● Every person has their own personality.

　　每个人都有自己的个性。

melancholy

Disposition 原是"排列"的意思，后来用作"性格、气质"。我应该属于 melancholy 比较多的类型，因为我比较喜欢类似于王杰这类歌手的那种忧郁的曲风。呵呵。

嗨嗨大家好!

如果你是那种能和初次见面的人顺畅 **associate** 交往的人的话，那么你一定是一个 **sociable** 善于交际的人，同时也是一个有着 **cheerful** 使人愉快的性格的人。你是不是那种不顾对方的感受，经常口若悬河发表长篇大论的人呢？如果是那样的话，我猜你要么是一位传教士 missionary，"人类即将毁灭～，神是我们唯一的救世主～。"；要么是某夜总会的招徕 tout，"少年，进来享受一下啦～。我们的服务很周到耶～。"

你也一起来吧!

　　活力充沛、性格外向的人英文叫做 **extrovert**。你妈妈是不是那种在家待不住，经常出去参加各种社会活动的 extrovert 呢？如果是的话，赶快向爸爸打个小报告，说不定她也是"主妇赌博集团"的成员呢！开玩笑的，要是真有人去告状了，我可惨了，不被人骂死才怪呢。ー..ー;

associate[əˈsoʃɪˌet]　**sociable**[ˈsoʃəbl]　**cheerful**[ˈtʃɪrfəl]　**extrovert**[ˈɛkstrəˌvɚt]

● My mother has a very animated disposition.我妈妈是一个活跃的人。

性格外向的人大多是 **talkative**
健谈的人。口齿伶俐的人，我们称之为
"**glib** 能说会道"型。这种人如果改行卖药业绩应该不错。^ ^爱说话没有什么不好，只是轻易 **divulge** 泄漏人家秘密的人就有点让人受不了。我不喜欢和这样的人交朋友，可是偏偏就有这样的朋友，"喂，我有个秘密告诉你耶，

只许你一个人知道。那个文德老师啊，简直就是一个超级大笨蛋～～！！"我得和他保持一定的距离。"She has a big mouth.她是个大嘴巴。"有了这句话以后，我发现那些大嘴巴的女生说话的时候总是把嘴抿得小小的。千万别指望

那些天生大嘴巴的人会为你"Keep it to yourself.保守秘密。"没过几天，在BBS 留言板上就会成为公共话题。^ ^

还有一种人，在言谈举止之中，总爱 **pompous** 炫耀自己。他们所说的话大半 **exaggerate** 言过其实。严重的会到处去
brag 吹牛皮。我在首尔新林洞考试院里见过这么一个小伙子，他吹牛说自己司法考试合格了，结果呢，他是斗鸡眼cross-eyed，把别人的名字看作自己的名字了；更不可思议的是，他还告诉别人他住在江南区的高级住宅区 Tower

---

talkative［ˈtɔkətɪv］ **glib**［glɪb］ **divulge**［dəˈvʌldʒ］ **pompous**［ˈpɑmpəs］ **exaggerate**［ɪgˈzædʒəˌret］
brag［bræg］

Palace 里，其实只是个高级货物车 Tower Crane 而已。呵呵。如果有一天，你也遇到了这样的人，你可以说："Shut your big mouth and stop bragging! 闭上你的大嘴，别吹牛了！"，"You're always telling tall tales. 你总是在自吹自擂。"

＊　＊　＊

很多来听我讲过课的学生都认为"文德老师也是个能说会道的 talkative 人"。实际上，不是那样的，课下我是一个 **reticent** 沉默寡言的人。因为这样，我朋友给我起了一个绰号叫做"灯泡"。我说的都是真的。坐地铁的时候我从来不跟旁边的人说一句话。咯咯咯。

我的性格很 **introverted** 内向的，平时喜欢读书和思考，是一个 **introvert** 内向的人。小学的时候，有一次在填学生基本资料卡时，我在兴趣栏里填写了"沉思 contemplation"两个字，结果被班主任臭骂一通。呵呵。小时候，我真的很 **shy** 害羞的，在女生面前就脸红，说不出话来。不过，现在正好相反了，只有在女生面前的时候，才能妙语连珠。嘿嘿。

过于内向，往往会让人认为你是个 **lack of confidence** 缺乏自信的人，这并不是件好事。甚至有人会认为你是

reticent[ˈrɛtəsnt]　**introverted**[ˌɪntrəˈvɜːtɪd]　**introvert**[ˈɪntrəˌvɜːt]　**shy**[ʃaɪ]
lack of confidence[læk əv ˈkɑnfədəns]

个 **timid** 胆小鬼。小学六年级的时候，老师的一句话让我下决心改变自己内向的性格，"Boys，be ambitious! 男孩们要有抱负！"当时我很佩服这位老师能够说出如此有水平的话。后来才知道这是美国科学家克拉克博士 William Clark 的名言。不过要是这句话被提倡男女平等主义 feminist 的人听到了，说不定会受到恐怖主义的袭击呢。因为这句话带有性别歧视 sexual discrimination 的嫌疑。没理由只允许男孩才有野心嘛，女孩也可以有嘛。

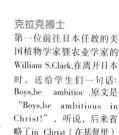

Boys, be ambitious!

克拉克博士
第一位前往日本任教的美国植物学家暨农业学家的 William S.Clark,在离开日本时，送给学生们一句话：Boys,be ambitiou .原文是"Boys,be ambitious in Christ!"，听说，后来省略了in Christ（在基督里）而流传至今。

Confidence 自信心对于一个人的成功起着举足轻重的作用。人若是缺乏自信将会一事无成。既然下了决心，就要一往无前、誓死方休。当然了，稍稍抱一种 **foolhardy** 鲁莽的态度会更好。通常对自己 **confident** 有信心的人对任何事情都很 **positive** 积极，而且这样的人对自己的未来也持 **optimistic** 乐观的态度，不轻易让自己落入 **frustration** 挫折的泥潭，相信只要自己坚持不懈地努力，总有成功的一天。"凡事只有自己亲身经历了才能体会到其中的道理"，所以对于老人的话不要当作陈腐的告诫 a trite admonition 来听，而是要铭记在心，努力去付诸行动。

词根 fid "相信"
词根 fid 有"相信"的意思。而 confident 则是表示强调的 con 结合了意为相信的 fid,可解释为"充满自信的"。
·con（同时）+fid（相信）→透露秘密（confide）

还有些人，虽然很乐观，但是不付出任何努力，那么他就是那种过于 **easygoing** 随便的人了。小时候，我们班上有一个同学，老是考倒数第一名，可是他却很乐观。他始终坚信总有一天会有一个比他还差的同学转到 transfer

---

timid[ˈtɪmɪd]　**confidence**[ˈkɑnfədəns]　**foolhardy**[ˈfulˌhɑrdɪ]　**confident**[ˈfɑnfədənt]
positive[ˈpɑzətɪv]　**optimistic**[ˌɑptəˈmɪstɪk]　**frustration**[frʌˈtreʃən]　**easygoing**[ˈiziˈɡoɪŋ]

啊，没关系，没关系。

我们班上来。很遗憾，到毕业的时候，他还是我们班上的倒数第一名。呵呵。

生活中不如意事十有八九，即使再苦，我们也不能做一个 **pessimistic** 悲观的人。牢记两句话，"After a storm comes a calm. 雨过天晴。"和"Adversity makes a man wise. 吃一堑，长一智。"朝自己的目标继续奋斗，我们的未来才是有 **promising** 希望的未来。

说了这么多还不能打动你，你只希望待在家里等着天上掉金砖，那我觉得你应该去看一遍《我的野蛮女友》，最好是把影片中男主角车太铉的那句经典台词牢记在心，"运气是上帝犒赏艰苦努力的人的最好礼物。"（Luck is a gift given by God to him who made a sincere effort.）哎呀，真是感动得不行了～。

我办不到
我办不到
我办不到
我果然不行

你很乖

* * *

好了，现在大家对于 **confidence** 自信心在人生中所起的作用应该有所了解了吧。从某种角度来说，像我这样不负责的、给大家提出无诚意忠告的人似乎也太少了吧。可不是嘛，人家都是全校最后一名了，你还在那儿悠哉悠哉，

pessimistic[ˌpesəˈmɪstɪk]　promising[ˈprɑmɪsɪŋ]　confidence[ˈkɑnfədəns]

还像个没事儿人一样。好了，接下来我就告诉大家一个建立自信的"秘诀"。敬请期待～哈哈～!

● Don't lose your self-confidence. 不要失去信心。

树立自信的方法大体来说有两种。第一种方法就是吸毒drugs。吸毒后，就算是高速列车KTX朝自己急驰而来，也不会有一点退缩cowering，就像电影《薄荷糖》中男主角薛景求一样，大胆bold表演车轨求爱的一幕。只是开个玩笑而已，绝对不能模仿哟，那样会被警察抓的。第二个方法是我在鸡龙山上参禅Zen meditation三天三夜才悟出来的，想要找回自信，首先要培养自己的**pride**自尊心。想想那些一生坚守自己的梦想在克服了重重险阻后成功的人，他们当时的境况还不如我们呢，我们又有什么值得抱怨的呢? 我们难道真的不如他们吗? 这时你的自尊心该发挥作用了。^_^哎呀，好久没有说这么经典的话了，真是不好意思。嘿嘿。

对自己有信心是件好事，若是同时拥有它那同父异母的兄弟half brothers——**conceit**自负的话，就另当别论了。"自负"会伙同**vanity**虚荣心、**laziness**懒惰，将你置于死地。做出一点成绩就**puffed**沾沾自喜的人，很容易变得越来越懒散，而且别人也会觉得你很

---

pride[praɪd]　**conceit**[kən'sit]　**vanity**['vænəti]　**laziness**['lezɪnɪs]　**puffed**[pʌft]

haughty 傲慢，最后成为一个人人讨厌的人。

- Don't be too proud of your success.
  不要为你的成功沾沾自喜。
- The boughs that bear most hang lowest.
  果实结得最多的枝头，垂得最低。

我的结论是要大家时刻牢记做人要 **modest** 谦虚，永远保持一颗学习的心。我也希望大家记住这句话："我还有 2% 的不足。" 听到这句话的人，不至于愚蠢 stupid 到听完后立马去便利店买饮料喝吧？（这句话是一种韩国饮料品牌的广告词。）

只有谦虚还远远不够，还要努力培养自己 **patient** 有耐心的习惯。面对小小的失败就 **impatient** 不耐烦的、发脾气的话，那么对于那些付出了巨大努力和汗水才获得成功的人来说，岂不是莫大的讽刺。这样的人也容易变成轻言放弃、遇到一点困难就退缩、盲目行事的 **rash** 轻率之人。如此之人，很容易孤注一掷 all in，成为一个 **headlong** 鲁莽的人。血本无归、倾家荡产后，这样的人很容易成为幽怨极深的人，抱怨社会、他人，甚至自己的父母。

我希望大家，从今天开始，做一个有耐心为自己的未来规划，并且不断努力着的 **hardworking** 勤奋的人。还有，最好把下面这句话铭记在心，"A problem is your

---

haughty[ˈhɔtɪ] modest[ˈmɑdɪst] patient[ˈpeʃənt] impatient[ɪmˈpeʃənt] rash[ræʃ]
headlong[ˈhɛdlɔŋ] hardworking[hɑrd ˈwəkɪŋ]

chance to do your best.苦难是成就你精彩人生的
最好的机会。"

Mr. Hardworking

我也要履行诺言，写出一本令世界瞩
目、让子孙后代受益、漂亮的、最棒的英语
学习工具书。还要烦请大家多多帮忙哟。

Ambition 野心、**positiveness** 积极性、**confidence** 自信心、**pride** 自尊
心、**modesty** 谦虚、**patience** 耐心！记住这六个单词，因为它们是大家实现
幸福和成功人生的必备要素。把它们的第一个字母串起来，便成了APCPMP。

● APCPMP is the key to success and happiness.
　　APCPMP 是通向成功和幸福的钥匙。

＊　＊　＊

日常生活中，有时候我们会
不经意间 involuntarily 流露出自己
的性格。我弟弟小时候特别
stubborn 倔强的，所以没少挨妈
妈的打。一次，因为姐姐把他最喜欢吃的鸡腿吃掉了，他足足哭了三个小时
呢。后来被爸爸狠狠揍了一顿，结果又哭了两个多小时。还好，随着年龄的
增长，他的性格慢慢变得 **well-rounded** 圆滑起来。他必须得变，如果不变
的话，他的朋友会慢慢疏远 alienate 他的。呵呵。

● My brother gets his own way with everything.
　　我弟弟凡事都我行我素。

ambition[æmˈbɪʃən]　positiveness[ˈpɑzətɪvnɪs]　confidence[ˈkɑnfədəns]　pride[praɪd]
modesty[ˈmɑdəstɪ]　patience[ˈpeʃəns]　stubborn[ˈstʌbən]　well-rounded[wɛl ˈraundɪd]

词根ten〔tain〕,有
"握住"之意

词根ten或tain意为"掌
握"。而tenacious则有
"坚韧的"的意思,
是ten(握住)加形容
词后缀-ous而来的。
·ab(远离)+tain(握
住)→避开(abstain)

我们大家都应该**tenacious**牢牢把握自己珍贵的梦想和理想,面对大是大非时,我们更应该做一个**diehard**顽固的保守主义者。不过,对于鸡毛蒜皮的小事就不要**hard-headed**斤斤计较的、过于顽固的了。要不然,会受到大家排挤的。^ ^

上了年纪的人,由于思想上变得**obstinate**僵化的,所以就变成了年轻人口中的老顽固、老古董。特别是在韩国,一部分人把自己的地方保护主义regionalism当作一种资本来炫耀,好像这是一门了不起的乡土哲学。依我看来,这些人既无知又愚蠢。比起美国和中国来,韩国只能算是弹丸之地,而这些人偏偏在为这小小的国土而喋喋不休,这种行为在外国人看来是多么的**narrow-minded**心胸狭隘啊。

在这个世界上,有很多人像囚徒一样被**prejudice**偏见所囚禁,成了"井底之蛙 the frog in the well",还有比这种人更不幸的人吗?若是能够及时果断地破除**stereotype**陈规,放宽胸襟,精神上才能获得解放与自由。还有,即使不喜欢一些和我们意见相左的人,但至少应该学会尊重对方的表达方式和思想自由,这就是韩国著名评论家洪世华先生经常说的"宽容、宽大tolerance"。其实,在当今社会,这

tenacious[tɪˈneʃəs]　**diehard**[ˈdaɪˈhɑrd]　**hardheaded**[ˈhɑrdˈhedɪd]　**obstinate**[ˈɑbstənɪt]
narrow-minded[ˈnæroˈmaɪndɪd]　**prejudice**[ˈpredʒədɪs]　**stereotype**[ˈsterɪəˌtaɪp]

也应该成为人人都具备的基本价值观。

● Show tolerance toward your opponent. 要对对方宽容。

Flexible 柔韧的品性是在日常的生活、工作、学习中经过长期的历练才形成的。我们大家都知道，一两岁的小孩，多半是个"小恶魔"的化身，他们时而耍赖、撒泼，时而搞点恶作剧什么的。而且，他讲什么你也听

不懂，你讲什么他也不去听。反正和你对着干就对了。呵呵～。这就像一些政客耍赖 stubbornly 一样，他们都不是小孩子了，但所做的一切都是小孩子的行径。干脆就把他们当作顽劣的小孩一样，顺便送他们一些过期的奶粉 powdered milk 和劣质的尿布 diapers 吧。饿了吃点，小便的时候尿点。呵呵。

词根 flex "弯曲"
词根 flex 有"弯曲"的意思。而 flexible 则是 flex（弯曲）加形容词后缀 –ible 而成的单词，意思是"可弯曲的、有弹性的"。

学会了宽容也就懂得了 **compromise** 退一步海阔天空的道理。这时，我们不但会变得 **liberal** 心胸宽广，而且也学会了 **catholic** 包容身边的一切。佛教徒以 **lenient** 慈悲为怀固然好，但为人父母教育孩子却不能过于 **indulgent** 纵容他们。例如，明明发现孩子沉迷于色情网站，不去制止，反而这样对

broad-minded

---

flexible[ˈflɛksəbl]　**compromise**[ˈkɑmprəˌmaɪz]　**liberal**[ˈlɪbərəl]　**catholic**[ˈkæθəlɪk]
lenient[ˈlinɪənt]　**indulgent**[ɪnˈdʌldʒənt]

孩子说:"电脑看太久了,眼睛会不舒服的,停下来休息一会儿再看吧~~。"这样的父母,我怀疑他们是不是孩子的亲生父母?退一步说,就算是孩子的继母stepmother也不应该这么做。

所以,为人父母要适当地**stern**严厉的一些比较好。"适当"当然就是不能过头了,记得好像有这么两个成语:过犹不及、适可而止。例如,只因为孩子和小朋友们在外面玩到太晚才回家,就气得在孩子回来之前搬家了,这样的父母是不是也有点太**relentless**残酷了?呵呵。生活在这种环境下的孩子,长大成人后很可能会变成恐怖分子。各位家长同志~,如果您能恰如其分地使用"打一巴掌给个甜枣"的策略教育孩子的话,我相信您的孩子长大后一定能成为栋梁之材。^ ^

stern[stɚn] **relentless**[rɪˈlentlɪs]

各种表情

aggresive
好斗的、攻击的

anxious
担心的、焦虑的

arrogant
骄傲的、自大的

bashful
害羞的

blissful
幸福的、快乐的

cautious
谨慎的、小心的

confident
自信的、有自信心的

demure
娴静的、矜持的

determined
果断的、下定决心的

disgusted
厌恶的

enraged
被激怒的、愤怒的

frightened
吃惊的、恐惧的

hungover
喝醉的

idiotic
傻傻的、呆头呆脑的

innocent
单纯的、幼稚的

miserable
悲惨的、痛苦的

obstinate
顽固的、倔强的

Pained
疼痛的、受伤害的

prudish
拘谨的、假正经的

regretful
后悔的、惋惜的

Satisfied
满足的、满意的

sheepish
胆怯的、害羞的

Smug
沾沾自喜的

Suspicious
疑心的、怀疑的

indecisive
优柔寡断的、犹豫不决的

personality 个性
· Every person has their own personality.
每个人都有自己的个性。

blood 血

phlegm 痰、粘液质

bile 胆汁

melancholy 黑胆汁，抑郁(的)

humor 体液;幽默

disposition 性情;处置
· 词根 pos："位置"
disposition:dis（远）+pos（位置）→排列，处置
compose:com（一起）+pose（位置）→构成
impose:in（里边）+pose（位置）→强加于
expose:ex（外边）+pose（位置）→使露出
deposit:de（下边）+pos（位置）→存款，存放，沉淀

phlegmatic 冷淡的

choleric 易怒的

melancholy 忧郁的
· I've got the blues.我很忧郁。

associate 联想，结交

sociable 善于交际的

cheerful 高兴的,快乐的

extrovert 外向的性格
· introvert 内向的性格
· ambivert 双重性格

talkative 健谈的，多嘴的

glib 善辩的

divulge 泄漏

pompous 爱炫耀的

exaggerate 夸张

brag 吹牛
· blow one's own trumpet 自吹自擂 =talk big,
talk through one's hat

reticent 沉默的

introverted 内向的 =reserved

introvert 内向的人

shy 害羞
①害羞，胆小的
Don't be shy.不要害羞。
Once bitten, twice shy. 一朝被蛇咬，十年怕井绳。
②不足的，没有
I'm one hundred dollars shy of next month's rent.
下月的房租我还差 100 美金。

lack of confidence 缺少自信

timid 胆怯的,害羞的

confidence 自信
· Don't lose your self-confidence.不要失去自信。

foolhardy 有勇无谋的

confident 有信心的

词根 fid："信任"

· confident:con（强调）+fid（信任）→有信心的

　　fidelity:fid（信任）+ity（形容词后缀）→忠诚

　　confide:con（一起）+fid（信任）→透露秘密

　　infidel:in(not)+fid（信任）→无神论者

　　perfidy:per(through)+fid（信任）→背叛

positive 积极的

optimistic 乐观的

frustration 挫折

easygoing 不慌不忙的，随和的

pessimistic 悲观的

promising 前途光明的

confidence 自信

pride 自尊

· 要有自尊。

　　take pride in oneself.

　　have some self-respect.

　　live with some dignity.

conceit 自满，自负

vanity 虚荣

laziness 懒惰

puffed 肿的，气喘吁吁的，自满的

haughty 傲慢自大的

modest 谦虚的

· Don't be so modest.别太谦虚了。

patient 有耐心的

impatient 着急的，没有耐心的

rash 轻率的

headlong 无谋的、轻率的

hardworking 勤奋的 =diligent

ambition 野心

positiveness 积极性，肯定,信心

modesty 谦虚

patience 耐心

· patient 有耐心的

· Patience is a virtue.耐心是一种美德。

stubborn 固执的

· as stubborn as a mule 非常固执的，冥顽不灵的

· Facts are stubborn things.事实不容改变。

well-rounded 丰满的，多彩多姿的，多才多艺的

tenacious 固执的,不屈不挠的

· 词根 ten［tain］："抓着"

　　tenacious:ten（抓着）+ous（形容词后缀）→顽强的

　　abstain:ab（远）+tain（抓住）→避开

　　contain:con（一起）+tain（抓住）→包含

　　tenable:ten（抓着）+able（可能的）→站得住脚的,无懈可击的

diehard 顽强的，顽固倔强的

hardheaded 固执的，脚踏实地的

obstinate 固执的,倔强的 =dogged

narrow-minded 心胸狭窄的

prejudice 偏见 =bias

stereotype 固有观念，陈词滥调

flexible 柔韧的

· 词根 flex:"弯曲"

deflect:de（off）+flex（弯曲）→使偏斜

inflexible:in(not)+flex（弯曲）→固执的，不动摇地

reflex:re（back）+flex(弯曲)→反射（向后弯曲）

compromise 妥协 = meet halfway

liberal 心胸宽广的=broad-minded

catholic 宽阔的，普遍的

· He was extremely catholic in his reading tastes.他的阅读兴趣相当广泛。

lenient 慈悲的

indulgent 纵容的,任性的

· indulge 纵容，沉迷于

stern 严厉的

relentless 残酷的，无情的

· relent 变温和,动怜悯之心

善与恶

诚实是美德，善意的谎言也在所难免

人之初，性本善还是性本恶，一直是个争论不休的话题。你更倾向于性本善 the ethical view that humans are born good 还是性本恶 the ethical view that humans are born evil 呢？

born good

呜啊

born evil

英文里有这么一个单词 **integrity** 正直，追根究底，这一词的词源 origin 是"原始状态"的意思。由此看来，西方人主张"性本善"。"原始状态"就是一种"正直"的表现。也就是说，西方人相信伊甸园 The Garden of Eden 里的亚当 Adam 和夏娃 Eve 原本是 **innocent** 天真无邪的，只因抵挡不住撒旦 Satan 的使者 the Serpent 蛇的诱惑才开始 **corrupt** 堕落的。

我认为两者都有不妥之处。我的意思是说，在小孩子身上套用善恶 good and evil 的概念，本质上就有问题。小孩子所表现出来的行为举止，本身是 **amoral** 与道德无关的，因为他们本身的 **morality** 道德观还没有形成。如果

词根 teg,tag "触碰"

词根 teg 与 tag 是指"连接，添加"的意思。而 integrity 则是由 in(not) 和 teg(touch) 结合而成，意为"无人触碰或是完好如初的状态"，也就是"正直"的意思。

·con（一起）+tig（连接）→接触的，邻近的（contiguous）

---

integrity[ɪnˈtɛgrətɪ]　**innocent**[ˈɪnəsnt]　**corrupt**[kəˈrʌpt]　**amoral**[eˈmɔrəl]
morality[məˈrælətɪ]

你懂得什么是 morality 吗？

我们回家了啦。

你还没吃饱，身边的孩子就哭着闹着要吃奶，你也千万不要对孩子说："我怎么会生出你这个 **immoral** 邪恶的的孽种呢？"以及"世界上怎么会有你这种粗野的、没有教养的 ill-bred fellow 小孩呢？"要是恰好被路过的小狗听到了，连小狗也会笑话你的。呵呵。

tabula rasa纯净如白纸的心灵

英国一位主张经验主义（Empiricism）的哲学家约翰，路克(John Locke)，他的名言是，将小孩子的心灵比喻为一张白纸的 tabula rasa。这句话原本是指尚未写字的石板。

我说的这些话，小朋友们也许会不同意，但是，新生婴儿的 **nature** 本性就像一张空白磁盘 blank disk，随着年龄的增长，里面储存的内容也会慢慢增加，而且也会形成自己的框架。所以，对小孩子

放开我

来说，父母的教育以及良好的周围环境是非常重要的。小时候，父亲总是天天教训我说："见到长辈要问好，要有礼貌。"当时，我真觉得父亲很烦人而且很啰嗦。可等我长大以后，才发现 **polite** 有礼貌的人是人缘极好的人。反之，那些 **impolite** 没有礼貌的人则是令大家讨厌的人。每当看到那种傲慢无礼的人，我都会想到一个人从小的教育是多么得重要。

● I was very angry at the child's rude behavior.
那个孩子粗鲁的行为令我生气。

实在很抱歉，请您回避一下好吗？

呃…好的。

哎呀，差点忘了一件事。从小到大，父亲好像都没教过我要勤俭节约，所以到现在为止我的存折里也没有多少存款 deposit。呵呵。不过还好，还不至于沦落到信用不良

immoral[ɪˈmɔrəl]　**nature**[ˈneɪʃə]　**polite**[pəˈlaɪt]　**impolite**[ˌɪmpəˈlaɪt]

bad credit 的程度，所以你不必为我担
心。我还是略懂得一些理财之道的。
嘻嘻。

Honest 真诚的人都不善于掩藏
自己的情感，什么事情都想一吐为快 speak
out。当然，随着年龄的增长，他们多少也会变得收敛一些，也学会了一些掩
藏自己情感的方法，偶尔还会说点 **white lie** 善意的谎言。这样一来，他们开
始担心有一天自己也会变成 **dishonest** 不诚实的人了。适当的 white lie 在
所难免，但是我们也不要成了只会 **butter up** 阿谀奉承的人。

- He always calls a spade a spade.
  他一向直言不讳。

社会生活中，有数不尽的 **evil** 罪恶的
诱惑在或明或暗处引诱你，这种处境中的我
们只有一件法宝可以护身，那就是要有一套坚定
的、陪伴一生的道德价值标准。反过来想，是不是正是因为这样的生活方式
才使得我们时而自甘堕落，时而自我反省呢？一旦自尊心沦丧，我们就会在
自暴自弃的状态下，接受罪恶，变成一个 **wicked** 邪恶的、**insidious** 阴险的
人，把 **deceive** 欺骗他人当成家常便饭，最后走上万劫不复的深渊。

honest[ˈɑnɪst]　white lie[hwaɪt laɪ]　dishonest[dɪsˈɑnɪst]　butter up[ˈbʌtɚ ʌp]　evil[ˈivl]
wicked[ˈwɪkɪd]　insidious[ɪnˈsɪdɪəs]　deceive[dɪˈsiv]

我认为如果人人都能把持好自己的自尊心pride的话，社会上犯罪的人就会越来越少。其实，坏人也有**conscience**良心和道德观morality，只是他们习惯性地漠视这些东西的存在罢了。

自尊心之所以很重要，还有一个理由，就是自尊心可以产生助推你成为**respectable**受人尊敬的人的野心。说得具体一点，就是绝对不允许自己成为别人所认为的**contemptible**卑劣的、**devilish**邪恶的人。试想一下，如果别人都**despise**鄙视、**ignore**无视自己的存在，那该是一件多么令人伤心的事啊！所以我们要时时刻刻保护我们的盾牌shield——自尊心不受到任何伤害，更不能忘记随时修补一下。说了这么多大道理，各位可千万别因为我是个爱唠叨的nagging人而讨厌我哟。^_^

● You sound like a broken record.不要再啰嗦了。

词根**spi,spe** "看"

词根spi或spe都意为"看"。respectable是re（重复）+spec（看）+able（形容词后缀）结合而成，有一再查看的意思，意为"值得尊敬的"。

· in（在）+spec（看）→检查，调查（inspect）

我鄙视你，非常地鄙视…

轰～

呃…冷静点…

喂，什么嘛.

conscience[ˈkɑnʃəns]　respectable[rɪˈspɛktəbl]　contemptible[kənˈtɛmptəbl]
devilish[ˈdɛvəlɪʃ]　despise[dɪˈspaɪz]　ignore[ɪgˈnɔr]

单词表

integrity 诚实,正直,完整

· 词根(teg，tag)："接触,添加"

integrity:in(not)+teg(touch)→正直（没有被触碰的状态）

intact:in(not)+tact（触碰）→完好的（没有接触过的）

contagious:con（一起）+tag（接触）→传染性的

contiguous:con（一起）+tig（接触）→邻近的，接触的

attach:ad(to)+tach（接触）→粘贴

detach:de(off)+tach（接触）→分开

innocent 纯真的，清白的

corrupt 堕落（的），腐败（的）

morality 道德

amoral 和道德无关的

immoral 不道德的

nature 自然，本性

polite 礼貌的

impolite 不礼貌的

honest 诚实的

white lie 白色谎言（善意的谎言）

· a black lie 恶意的谎言

· lie detector 测谎器 =polygraph

dishonest 不诚实的

butter up 谄媚

evil 邪恶（的),罪恶（的)

wicked 坏的, 邪恶的, 缺德的

insidious ①狡猾的②（疾病等）不知不觉间加剧的；隐伏的

deceive 欺骗

take in 欺骗 =play upon

pull one's leg 玩弄，取笑 =make a fool of

conscience 良心

respectable 让人尊敬的

词根(spi,spe)："看"

· despise:de(down)+spis（看）→轻蔑

· inspect:in(里)+spec（看）→调查

conspicuous:con（强调）+spi（看）→出色的,显而易见的

· respectful 恭敬的

· respective 分别的，各自的

contemptible 可鄙的，卑劣的

· contemptuous 轻蔑的，瞧不起的

devilish 邪恶的

despise 鄙视，看不起

ignore 无视

3

THREE

Do you have this in my size?

生活与旅行

别 笑!
我是英文单词书

Don't Laugh!
I'm An English Book

◀ ◀ ◀ ◀ ◀

住 宅　　文德的居家生活大公开

这一节，我要带领大家熟悉一些有关 **house** 住宅的用词。在 **build** 建造房子之前，我们首先要请一个 **architect** 建筑师来帮着拟订一份 **design** 设计稿。然后在工地上竖立一个标有 **under construction** 施工中的告示牌 signpost。最后当然就是 **break ground** 破土动工了。等你的漂亮房子建好了别忘了给我发个请帖去参加你的

乔迁礼物

在美国，大家会带盆栽或是酒送给屋主人。对美国人而言，送盆栽给屋主人是为祝福对方在新的住所展开"崭新的人生"；而送酒则是表示祝贺之意。

housewarming party 乔迁庆宴哦！＾＾我这个人向来比较抠门，这次破例为你带一大袋 **toilet paper** 卫生纸。等你擦屁屁的时候记得用啊。呵呵。

对了，忘了告诉大家，文德年轻的时候可是一个狂热的派对迷耶。接下来就让咱们去见识一下各种派对吧，打扮好了吗？

house[haʊs]　build[bɪld]　architect[ˈɑrkəˌtɛkt]　design[dɪˈzaɪn]
under construction[ˈʌndə kənˈstrʌkʃən]　break ground[brek graʊnd]
housewarming party[ˈhaʊsˌwɔrmɪŋ ˈpɑrti]　toilet paper[ˈtɔɪlɪt ˈpepə]

- B.Y.O.B.(Bring Your Own Booze [Bottle/Beverage])自带酒水参加的晚会

- Baby shower 孕妇专属晚会
- Card party 以玩牌为主题的晚会
- Cocktail party（提供简单食品和饮料的）鸡尾酒会
- Graduation party 毕业晚会
- Mixer 男女联谊晚会

- Pajama party 睡衣派对
- Potluck dinner 自带饭菜的晚会
- Prom 高中毕业前的舞会
- Surprise party 惊喜派对
- Welcoming party 欢迎宴会

好像都说得差不多了。该回到原来的主题了，继续谈我们房子的种类。

>>> 房屋的种类

我小时候，乡下到处都是 **cottage** 农舍，而且以 **straw-roofed house** 茅屋居多。而有钱人住的是 **tile-roofed house** 瓦房。可是在首尔瓦房并不是有钱人住的房子，因为在首尔瓦房是很少见的。

cottage
盖在湖边或是山坡上，看起来像别墅的那种房子就叫cottage。

首尔有很多 **apartment** 公寓，比如汝矣岛上高达63层的宏伟建筑 63 大厦 63 Building，它同时也是各国游人到韩国时必看的风景之一。像这种仿佛要顶到天上去的大厦叫做 **skyscraper** 摩天大楼。

cottage[ˈkɑtɪdʒ]　straw-roofed house[strɔ ruft haus]　tile-roofed house[taɪl ruft haus]
apartment[əˈpɑrtmənt]　skyscraper[ˈskaɪˌskrepə]

Scrape 是"刮，擦"的意思。词尾加上"–er"就变成了"刮、擦的工具"。你觉得这么说可以吗？

位于高层建筑的 **top floor** 顶层，四周用 **pane** 玻璃窗装饰，配有专用电梯 elevator 的超豪华住宅叫做 **penthouse**。"拜托了，老师！这是美国一个很有名的杂志的名字耶。我的书包里正好有一本，要不您看一下。"像这样的学生，将来变态 pervert 的可能性很大吧？^ ^ 文德可是良民啊，懂得洁身自好耶。呵呵。

● This elevator stops only on the top floor.
这部电梯直达顶层。

有一次，一个学长对我说自己住的 **boarding house** 寄宿宿舍是一个 penthouse，并邀请我去吃饭。大家可以想像，我是多么期盼能去看看学长住的地方啊！但去了才知道，原来是一个在 **rooftop** 屋顶上加盖的 **attic** 阁楼啊。哎呀，我怎么这么笨，早该想到是这样的才对。当时正是夏天，晚上睡觉时，热得实在是睡不着￣.￣还不如住 **basement** 地下室凉快呢。突然有一种想法，住在屋顶阁楼的应该是猫咪才对，我们怎么住上来了？不是有部韩剧的片名就叫做《阁楼里的小猫》吗？

词根 bas "基地"
· base 底部，基底，基础
· basis 基础，根据
· basin 脸盆，盆地

Mansion 这个词，在美国指大型的住宅，而

top floor[ˈtɑp flɚ]　pane[pen]　penthouse[ˈpɛntˌhaʊs]　boarding house[ˈbɔrdɪŋˌhaʊs]
rooftop[ˈruftɑp]　attic[ˈætɪk]　basement[ˈbesmənt]　mansion[ˈmænʃən]

在韩国则指小型的 **public housing** 经济适用房。这种现象还有很多，例如，villa 原指高级别墅，但是也常常被建筑商夸大滥用。小时候，在我家后山上有一栋无人居住的 **cabin** 小木屋。记得当时，我

跟小伙伴还把那里当作 **hideout** 秘密据点，常常玩到忘了回家吃饭呢。紧张一下，来做几个脑筋急转弯。"艾玛"夫人（韩国电影中的人物，代表风流女人。）住在什么地方？当然是 **stable** 马厩了。也许这个笑话太老套了……再考考你！世界上最可怕的房子是什么房子？答案是 **beehive** 蜂窝，像这样的房子应该没人去 **rent** 租住吧。不过，若是小熊维尼可就例外了，它巴不得能住到这样的房子里呢。＾＾

我们的 hideout →

各式各样的房子

Duplex
双层公寓（两家合住，但各自分开）

Ranch Huose
带有车库的长形平房

Town Huose
市区内二层楼或三层楼，多栋联建的住宅

Mobile Home
（农、牧场主人住的）可移动房屋

public housing[ˈpʌblɪk ˈhaʊsɪŋ]　cabin[ˈkæbɪn]　hideout[ˈhaɪdˌaʊt]　stable[ˈstebl]
beehive[ˈbihaɪv]　rent[rent]

小时候，我发现一件"大事"，我家的小白在**barn**牛圈里生了一窝小狗狗，但是我从来没有看到过狗爸爸是谁。＾＾

>>>房屋的结构

文德**house**房屋大公开。

首先是一扇**gate**大门，来我家时请不要驾车耶，因为我家只有一个**garage**车库，仅能停放我一个人的车。要是你不听劝告非要开车来，然后又随便停在一个地方，我保证一定会被交管大队拖走tow的。所以说嘛，还是步行来比较好，既节省油钱，又能锻炼身体，何乐而不为呢。＾＾

进入大门，首先映入眼帘的就是有着整整齐齐lawn草坪的**front yard**前院了。前院的右边是**garden**花园，里面种着凤仙花和蒲公英。再往旁边

① fence 篱笆　　② mailbox 信箱　　③ garage 车库
④ garage door 车库门　⑤ driveway 私人车道　⑥ shutter 百叶窗
⑦ porch light 门厅灯　⑧ doorbell 门铃　　⑨ front door 正门
⑩ storm door（御寒的）外门　⑪ steps 台阶　　⑫ front walk 步行通道
⑬ front yard 前院　　⑭ window 窗户　　⑮ roof 屋顶
⑯ chimney 烟囱　　⑰ TV antenna 电视天线

barn[bɑrn]　**house**[haʊs]　**gate**[get]　**garage**[gəˈrɑʒ]　**lawn**[lɔn]　**front yard**[frʌnt jɑrd]
garden[ˈgɑrdn]

一点是个小 **pond** 池塘。千万要小心，别掉下去喔，池水有点脏。因为我喝过啤酒后经常在那儿嘘嘘（小便）wee-wee。＾ ＾;;

池塘旁边有一个 **pavilion** 凉亭。到了夏天，坐在里边吃西瓜或是数星星的时候，总是有一股怪味从池塘那边吹来。我想大家已经都知道是什么味了吧。其实，我也有苦衷啊，我家的凉亭里没有 **restroom** 厕所。呵呵。所以到我家来没事最好别去那儿，径直走到 **front door** 正门按 **doorbell** 门铃就行了。我担心讨债的找上门来，轻易不开门，所以你要按"两长一短"我才会开门哟。这可是暗号耶，按错了当然不能让你进来了。糟糕，暗号都说出去了，回家赶快再换一个暗号。嘻嘻。你更甭想能从 **roof** 房顶或是 **window** 窗户溜进来。因为我家房顶有电流通过，**window sill** 窗台上更有高压电通过，擅自闯入者可要当心了。嘿嘿。

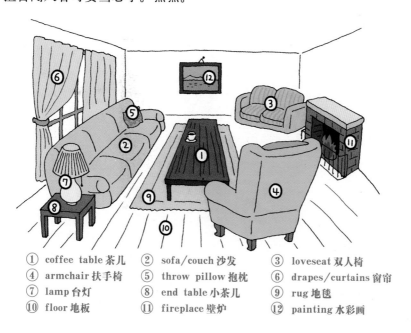

① coffee table 茶几　② sofa/couch 沙发　③ loveseat 双人椅
④ armchair 扶手椅　⑤ throw pillow 抱枕　⑥ drapes/curtains 窗帘
⑦ lamp 台灯　⑧ end table 小茶几　⑨ rug 地毯
⑩ floor 地板　⑪ fireplace 壁炉　⑫ painting 水彩画

pond［pɑnd］　**pavilion**［pə'vɪljən］　**restroom**［'rɛstrum］　**front door**［frʌnt dɔr］
doorbell［'dɔrbɛl］　**roof**［ruf］　**window**［'wɪndo］　**window sill**［'wɪndo sɪl］

在 **floor** 地板上我还放了很多小黄瓜片，一不小心滑倒，你就可以免费做个黄瓜面膜 massage 了。呵呵。进到屋里倒是没有什么可供观赏的家具。**Living room** 客厅里摆放着 **sofa** 沙发和用 **marble** 大理石制成的 **coffee table** 茶几，在墙角有一个用来烘托气氛的 **fireplace** 壁炉。雨后的黄昏，一个人坐在壁炉前的 **armchair** 摇椅上，手里拿着一杯红葡萄酒慢慢品尝着，看着那即将落山的太阳，心里别提有多惬意了。电视机的旁边放了个小 **fishbowl** 鱼缸。你说里面怎么没有鱼呢？啊，这个嘛……它们好像都离家出走了。

穿过客厅，就可以看到摆放着长长的 **dining room table** 餐桌的 **dining room** 餐厅了。本来是用作打牌 poker 的桌子，可是我老输钱，只好用作餐桌了。说实在的，这个桌子用来吃饭也确实大了点，所以我从来没用过这张桌子。呜呜。

Kitchen 厨房里有 **refrigerator** 冰箱、**microwave oven** 微波炉等 **household appliances** 家用电器。对一般家庭来说，这都是不可或缺的东西。用的时候倒是挺方便，可是一到搬家的时候，那可就惨了，我的腰都快累断了。打开 **closet** 壁橱，可以看到各种各样的 **utensils** 炊具，已经落了厚厚的一层灰尘 dust 了。＾＾

1 楼有 4 间 **bedroom** 卧室，有几间是 **vacancy** 空房，我根本都没用过，不如趁早把它租出去好了。有意者请与我联系，要不在报纸上做个出租广告也行。＾＾

floor [flɔr]　**living room** [ˈlɪvɪŋ rum]　**sofa** [ˈsofə]　**marble** [ˈmɑrbl]　**fireplace** [ˈfaɪrples]
armchair [ˈɑrmtʃɛr]　**fishbowl** [ˈfɪʃbol]　(**dining room**) **table** [(ˈdaɪnɪŋ rum) ˈtebl]　**kitchen** [ˈkɪtʃɪn]
refrigerator [rɪˈfrɪdʒəˌretə]　**microwave oven** [ˈmaɪkrəˌwev ˈʌvən]
household appliances [ˈhausˌhold əˈplaɪənsɪz]　**closet** [ˈklɑzɪt]　**utensils** [juˈtɛnslz]
bedroom [ˈbɛdrum]　**vacancy** [ˈvekənsɪ]

① cabinet/cupboard 壁橱   ② paper towels 纸巾   ③ dish drainer 烘碗机

④ dishwasher 洗碗机   ⑤ sink 水槽   ⑥ toaster 烤面包机

⑦ coffee maker 咖啡壶   ⑧ freezer 冷藏室   ⑨ refrigerator 冰箱

⑩ microwave(oven)微波炉   ⑪ pot 锅   ⑫ stove 炉子

⑬ burner (火炉的)炉嘴   ⑭ oven 烤箱   ⑮ teakettle 茶壶

⑯ frying pan 煎锅   ⑰ (electric)mixer (电动) 搅拌机   ⑱ food processor 万能食品加工机

⑲ cutting board 菜板   ⑳ knife 刀   ㉑ rice cooker 电饭锅

㉒ wash the dishes 洗碗   ㉓ feed the cat(dog)喂猫（狗）

133

● For rent. 出租。

● Furnished House to Let.
  出租附带家具的空房。

这是学生时代经常可以看到的出租 **boarding house** 寄宿宿舍的广告词。

FORRENT

50py APARTMENT IN KA M-GU.

3 BEDROOMS. 2 BATHROOMS.

A SPACIOUS LIVING RM.

KITCHEN EQUIPPED WITH

REFRIGERATOR, OVEN,

AND BUILT-IN WOODEN CABINET.

NEW FLOORING MAY BE NEEDED.

$2000/M

>PLS CONTACT MR.PARK AT 123-4567

要到 2 楼参观，首先得顺着很陡的 steep **corkscrew staircase** 螺旋梯爬上去。上去后看到的第一间就是我那摆满 **bookshelf** 书架的 **study** 书房。书房四周的墙壁上都贴满了粉红色的 **wallpaper** 壁纸。这种颜色看起来更女性化一些，不好意思，我的个性中就有这方面的倾向。呵呵。

在所有的 **furniture** 家具当中，最显眼的就是墙上的 **built-in wardrobe** 嵌入式衣柜了。大一新生 freshman 的时候住 **dormitory** 学生宿舍，而现在的这个衣柜就与当时学生宿舍里的衣橱差不多。什么，你以为这个衣橱是我从学

---

boarding house[ˈbɔrdɪŋ haʊs]　**corkscrew staircase**[ˈkɔrkskru ˈstɛrkes]　**bookshelf**[bʊk ʃɛlf]
study[ˈsdʌdɪ]　**wallpaper**[ˈwɔlpepɚ]　**furniture**[ˈfɜnɪtʃɚ]　**built-in wardrobe**[bɪlt ɪn ˈwɔrdˌrob]
dormitory[ˈdɔrməˌtɔrɪ]

校偷来的？嘿，文德才不会干那种事呢！
（嘻嘻，还真让你猜对了。）

房间的天花板上吊着长条状的**fluores-cent lamp**荧光灯，放在桌子上的**desk lamp**台灯则是小小的**glowing bulb**白热灯。屋里还有小型的**air cleaner**空气清新器和**humidifier**加湿器。我的

书桌上还放着一台**desktop computer**台式电脑以及一个**printer**打印机。要是这本书卖得好，等拿到版税royalties后，就去买一台**laptop computer**笔记本电脑。嘻嘻。打开2楼的落地窗，走到外面的**balcony**阳台上，你会看见我经常坐在上面抽烟的摇椅armchair。要是你摇晃得太厉害的话，有可能会后空翻哟，所以还是小心一点为好。

参观完我家，感觉如何？是不是有一种在梦幻中的感觉呢？这就对了，本来就是在梦中嘛，我也梦寐以求能够生活在这样的房子里。目前，我真正的住所跟**tent**帐篷差不多，没什么可描绘的。但是为了提高大家的词汇量。我只好撒个谎了。你们会原谅我吧？呜呜～～

>>> 其它建筑

法国的埃菲尔铁塔英文名字是 the Eiffel Tower。那么，韩国庆州佛

---

fluorescent lamp[ˌfluərɛsnt læmp]　desk lamp[dɛsk læmp]　glowing bulb[ɡloɪŋ bʌlb]
air cleaner[ɛr ˈklinə]　humidifier[hjuˈmɪdəˌfaɪr]　desktop computer[ˈdɛsktɑp kəmˈpjutə]
printer[ˈprɪntə]　laptop computer[ˈlæptɑp kəmˈpjutə]　balcony[ˈbælkənɪ]　tent[tɛnt]

135

国寺 Bulguk Temple 里的多宝塔英文名字应该就是 Dabo Tower 了?我看你要被佛祖打屁股了。正确说法应该是 Dabo Pagoda。**Tower** 其实是指某种纪念塔，而 **pagoda** 才是指寺院 temple 里面的塔。**Church** 教堂屋顶上有十字架尖塔的叫做 **steeple**。如果有一天，你要去玩降落伞 parachute 的时候，记得别让塔尖扎了屁股哟。呵呵。

各位都知道剧院的英文是 theater 吧? 什么，你不知道? 那你可够笨的了。我看你挺适合演笨蛋角色。呵～! 只是开玩笑了，别当真! 而可以容纳很多人看话剧或是公演的圆形剧场叫做 **amphitheater**。前缀（amphi–）或（ambi–）是表示 **round** 圆形的意思。

词首 amphi, ambi 表示"圆形"
amphi 有"圆形"的意思。amphitheater 是 theater 前面接了 amphi，可解释为"圆形剧场"。

有人看过电影《宾虚 (Benhur)》和《角斗士 (Gladiator)》吗? 影片里就有个巨大无比的古罗马圆形竞技场，英文叫做 Colosseum。你们当中肯定有人去过吧? 我一直很忙，没时间也没机会去。还好，去年冬天休假的时候，有幸第一次在照片上看到了 Colosseum。哎呀，真没面子，生活实在是不宽裕……肚子都没填饱，哪还有心思旅行啊……呜呜。

tower[ˈtaʊɚ] pagoda[pəˈgodə] church[ʧɝʧ] steeple[ˈstipl] amphitheater[ˈæmfəˌθiətɚ]
round[raʊnd]

■■■ 单词表

house 房屋

build 建造 =construct, erect

architect 建筑师

design 设计 =lay out

under construction 施工中

break ground 破土动工

housewarming party 乔迁庆宴

· B.Y.O.B(Bring Your Own Booze[Bottle/Beverage]
自带酒水参加的晚会

Baby shower 孕妇专属晚会

Card party 以玩牌为主题的晚会

Cocktail party（提供简单食品和饮料的）鸡尾酒会

Graduation party 毕业晚会

Mixer 男女联谊晚会

Pajama party 睡衣派对

Potluck dinner 自带饭菜的晚会

Prom 高中毕业前的舞会

Surprise party 惊喜派对

Welcoming party 欢迎宴会

toilet paper 卫生纸

房屋的种类

cottage 村舍,小屋

straw-roofed house 茅屋

tile-roofed house 瓦房

apartment 公寓

skyscraper 摩天大楼

top floor 顶层

pane 玻璃窗

penthouse 楼顶阁楼(成人杂志名称)

I subscribe to Penthouse.我订阅《阁楼》杂志。

=I'm a Penthouse subscriber.

=I have a subscription to Penthouse.

=Every month I receive a copy of Penthouse.

boarding house 寄宿房

rooftop 屋顶

attic 阁楼

basement 地下室

· 词根 bas：“地板”

base 基础，基底，山脚

basis 基础，根据

basin 盆，盆地

bastard 私生子

debase:de（向下）+base（地板）→贬低,贬损

mansion 大厦

public housing 经济适用房，居民楼

cabin 小木屋

hideout 秘密联络点，隐匿处

stable 马厩

beehive 蜂窝

rent 租赁

barn 谷仓,牲口棚

房屋的结构

gate 大门

garage 车库

lawn 草坪

front yard 前院

garden 花园

pond 池塘

pavilion 亭子

· Octagonal Pavilion 八角亭

restroom 卫生间 =bathroom, washroom

· lavatory（盥洗室），

  water closet(WC-欧洲), toilet, men's room,ladies' room

front door 正门

doorbell 门铃

roof 屋顶

window 窗户

window sill 窗台

floor 地板

living room 客厅

sofa 沙发

marble 大理石

coffee table 茶几

fireplace 壁炉

armchair 扶手椅

fishbowl 鱼缸

(dining room)table 餐桌

dining room 餐厅

kitchen 厨房

· If you can't stand the heat, get out of the kitchen.
  如果你受不了这里的高温，就不要呆在厨房里了。

refrigerator 冰箱

microwave(oven)微波炉

household appliances 家电

closet 壁橱 =cupboard

utensils 炊具

bedroom 卧室

vacancy 空房间

boarding house 寄宿房

orkscrew staircase 螺旋形台阶

bookshelf 书架

study 书房

wallpaper 壁纸

furniture 家具

built-in wardrobe 嵌入式衣柜

dormitory 宿舍

fluorescent lamp 荧光灯

· fluorescent light 荧光灯

· florescent 开花的

desk lamp 台灯

glowing bulb 白热灯泡

air cleaner 空气清新器

humidifier 加湿器

desktop computer 台式电脑

printer 打印机

laptop computer 笔记本电脑

balcony 阳台，露台

tent 帐篷

其他建筑

tower 纪念塔

pagoda（寺院的）塔

church 教堂

steeple 尖塔

amphitheater 圆形剧场

· amphi [ambi]圆形的

amphitheater:amphi（圆的）+theater（剧场）→圆形剧场

ambition: ambi（圆的）+it（去）→欲望，野心

ambient：环绕的，周围的

round 圆的

服 饰

流行服饰大小事

这是今年上半年的流行款式

《创世纪》里记载，亚当和夏娃当时只用一片树叶遮住身体的重要部位，基本上处于一种 **naked** 裸体的状态。如果香奈儿夫人生活在那个时代的话，她肯定是无所事事了，难不成要逼她用树叶来设计服装吗？呵呵。

服装与我们的生活息息相关，下面我们就来介绍一下服装的种类。

>>> 服装的种类

一般来说，服装的英文叫做 **clothes, winter clothes** 则指冬装，衣服通称是 **clothing**。

有特殊用途的服装我们用 **wear** 来表示。例如，用于运动之用的服装就叫做 **sports wear**。**Suit** 则指套装。**Costume** 是就传统服装而言，例如韩

naked［ˈnekɪd］ **clothes**［kloz］ **winter clothes**［ˈwɪntɚ kloz］ **clothing**［ˈkloðɪŋ］ **wear**［wɛr］
sports wear［spɔrts wɛr］ **suit**［sut］ **costume**［ˈkɑstum］

wear　　Suit　　costume　　uniform

国的韩服、中国的唐装等。韩服的英文名字是 the Korean traditional costume。像是校服或是军装这样统一的服装就叫做 **uniform** 制服。

冬天的时候，妈妈们常常会给自己的孩子 **knit** 编织 **sweater** 毛衣穿。这些毛衣有的是从头往下套的叫做 **pullover** 套头毛衣，有的则是带有 **button** 纽扣的 **cardigan** 开襟羊毛衫。

套在 **dress shirt** 衬衫外面的马甲叫做 vest。我老觉得穿上马甲有点不好看，所以不太愿意穿。但是 **briefs** 紧身内裤还是要穿的。因为不穿内裤，那儿就显得太突出了，怕别人说变态 pervert，呵呵。

Pullover

内衣

running shirt是内衣的一般说法。其实，undershirts是比较确切的说法，在英国则是叫vest。

· athletic shirt运动员专用内衣
· briefs男用紧身裤
· Speedo男用，正面没有开口的内裤；泳裤
· boxers四角裤

>>> 女装

如果说服装几乎是女人的专属品，是不是有些性别歧视 sexual discrimination 的成分在里面呢？但是，比起男人的服装来，女人服装的样式更特别、种

uniform[ˈjunəˌfɔrm]　knit[nɪt]　sweater[ˈswɛtɚ]　pullover[ˈpulˌovɚ]　button[ˈbʌtn]
cardigan[ˈkɑrdɪgən]　dress shirt[drɛs ʃɚt]　brief[brif]

类更繁多啊。你问我是怎么知道这些的？哎呀，这是最基本的常识啦。呵呵。首先让人想到的是女人的 **brassiere** 胸罩。我也戴过这东西耶。什么？别惊讶，在 **masquerade** 化装舞会上曾戴过一次。

　　女性穿好 **underwear** 女用内裤后还要在外面套一件伸缩性好、短裤状的衣服，叫做 **girdle** 紧身裤。**Coat** 是外套的意思，女性穿在下半身的内衣叫做 **petticoat** 衬裙。Petticoat 正好是 **petty** 小的和 coat 组合而成的。往后，如果我们看到某些单词里面有 coat，别忘记它们很可能是指穿在下半身的衣服喔。要是你家上幼儿园大班的小孩哭着、闹着，甚至以死威胁，非要一件 coat 不可的话，这时丢给他（她）一件 petticoat 或者可以暂时平息战争吧。下雨天，要是让你的小孩穿一件由 **trenchcoat** 军用防水短外衣、风衣改成的 petticoat 去上学的话，他（她）当天一定会成为其他小朋友取笑的对象的。^_^

① undershirt 贴身内衣　　② briefs 三角内裤（男）　　③ boxer shorts/boxers 四角内裤

④ socks 袜子　　⑤ bra 胸罩 =brassiere　　⑥ panties/underwear 内裤（女）

⑦ camisole 女用紧身衣　　⑧ girdle 束腹短裤　　⑨ full slip（有肩带的）连身长衬裙

⑩ half slip/petticoat 短衬裙　　⑪ garter belt 吊袜束腰带　　⑫ pantyhose 连裤长筒袜

⑬ kneesocks 及膝袜

brassiere[brəˈzɪr]　**masquerade**[ˌmæskəˈred]　**underwear**[ˈʌndəˌwɛr]　**girdle**[ˈgɝdl]
coat[kot]　**petticoat**[ˈpɛtɪˌkot]　**petty**[ˈpɛtɪ]　**trenchcoat**[ˈtrɛntʃkot]

既然 **stockings** 长袜也叫做 hose，那么女性穿的长筒丝袜英文就是 **pantyhose** 了。来个脑筋急转弯，猜一猜，哪一种男人也穿长筒丝袜？哈哈，当然就是抢银行的强盗 bank robber 了！

嘿嘿嘿

● This is a hold up!

这是抢劫！——你买不买丝袜？不买有你好看的。

— Stocking 游戏 —

nice dress～

还有一些只有女人才能穿的衣服。例如 dress 有连衣裙、女性穿的礼服的意思。在晚会上，如果有外国朋友对你说："Your dress is beautiful. 你的礼服很漂亮。"可千万别犯"It's not a dress. It's one-piece. 这不是礼服，而是连衣裙。"这样让人啼笑皆非的错误哟。

女性的派对礼服绚丽多彩，我平时就对这个比较感兴趣，也算有点研究，所以接下来就让我带领大家去看看吧。参加大型或是正规的晚宴时穿的拖地连衣裙叫做 **evening dress** 晚礼服，这是比较正式的礼服。这样的礼服大多是无袖、低胸、漏背的，若是有幸参加这样的晚会，就可以一饱眼福了。即使是有袖的，袖子也经过精心设计，非常精致。还有一种礼服叫做 **cocktail dress** 酒会礼服，这种礼服是参加婚宴或是酒会时穿的服装，比晚礼服稍显活泼一点，一般性质的晚会经常穿这种服装。

女装的号码

大家知道吧？韩国女装号码的表示方法与美国是不同的。以腰围来说是这样的：
号码 0 表示 24-25in，
2 表示 26in，
4 表示 27-28in，
5 表示 29in，
8 表示 30in，
10 表示 32in，
12 表示 34in，
14 表示 36in。

evening dress   cocktail dress

stocking[`stɑkɪŋ]　pantyhose[`pæntɪ,hoz]　dress[drɛs]　evening dress[`ivnɪŋ drɛs]
cocktail dress[`kɑk,tel drɛs]

关于女性的派对服装，我们就说到这里。接下来谈谈女性的化妆品。我去电视台讲课的时候也 **make-up** 化妆，当然是稍做修饰而已了。是不是因为这个原因，我们小区里经营 **cosmetic store** 化妆品专柜的大婶见到我就主动和我打招呼，而且像是很亲切的样子。其实，她每次见到我的时候，心里肯定在想，"那个小伙子的 **compact** 粉饼和 **lipstick** 口红该用完了吧……。"

(1)　　(2)　　(3)　　(4)　　　(5)　　　(6)　　(7)　　(8)　　(9)　　(10)

COSMETICS 化妆品

① mascara 睫毛膏　　② lip gloss 唇彩　　③ lipstick 口红
④ foundation 粉底霜　⑤ face powder 粉饼　⑥ eyeliner 眼线笔
⑦ eyebrow 眉笔　　　⑧ eye shadow 眼影　⑨ blush 腮红
⑩ nail polish 指甲油

>>> 穿着品味

衣服 **dirt** 脏了，就应该及时放入 **washing machine** 洗衣机里洗，可不要偷懒哟，发霉、变臭就不好办了。家里没有洗衣机，自己又不愿意手洗，那只好去 **laundromat** 自助洗衣店。如果不小心衣服上沾到了墨汁之类的 **stain** 污渍，自己洗不掉的话，就可以送去 **dry cleaner** 干洗店干洗了。如果衣服脏了，懒得洗，又没有可替换的，只好继续穿那件脏得不行的衣服了，这时人们就该说你是 **slovenly** 不修边幅的人了。要是不小心摔倒，而且沾上了狗便便 dog pooh，那只好把衣服扔掉了。嘿嘿。

我家的洗衣机坏了。

make-up[mek ʌp]　**cosmetic store**[kɑz'mɛtɪk stɔr]　**compact**['kɑmpækt]　**lipstick**['lɪp,stɪk]
dirt[dɚt]　**washing machine**['wɔʃɪŋ məʃin]　**laundromat**['lɔndrə,mæt]　**stain**[sten]
dry cleaner[draɪ 'klinɚ]　**slovenly**['slʌvənlɪ]

你的衣服虽不 **gay** 华丽的，但也要穿戴 **tidy** 整洁的。即使有些 **worn out** 破旧，但只要用熨斗 **ironing** 熨平衣服上的 **wrinkle** 褶皱，也会有人夸奖你穿戴 **smart** 端庄的、漂亮的、**stylish** 时髦的。英语里有句话叫做"Fine feathers make fine birds. 人靠衣装，马靠鞍。"你说文德是一个爱打

我熨得很棒喔

这下够体面了！

扮的人，其实不是，我穿衣服很随便的。人长得帅，身材又好，穿什么都好看。嘿嘿，即使 **rags** 衣衫褴褛，也不会显得 **shabby** 寒酸的。我是不是很恶心啊？嘿嘿嘿。

帅吧！

哇—

女性穿哪种衣服走在街上人们的回头率会更高呢？还用说吗？当然是 **gaudy** 暴露一点的了。那些从你身边经过的男士们魂魄都让你给勾走了。呜呼！

这是我妈妈用剩的布料，你需要的话就送给你了。

盲目追求 **fashion** 时尚的、流行的以及 **brand-new** 新款的衣服，表面上看来很时髦，实际上确是一种没有品味、素质低下的表现。因此，人们要更加注重内在品质的修养，而不是外表的过度修饰。好久没有讲这样的大道理了，有点难为情～！咯咯咯。

wash your hair...

恶…好痒啊。

对了！记得 **wash your hair** 洗头的时候不要用太多的 **shampoo** 洗发水，洗衣服

---

gay[ge]　**tidy**[ˈtaɪdɪ]　**worn out**[wɔrn aʊt]　**ironing**[ˈaɪə·nɪŋ]　**wrinkle**[ˈrɪŋkl]
smart[smɑrt]　**stylish**[ˈstaɪlɪʃ]　**rages**[ˈrægz]　**shabby**[ˈʃæbɪ]　**gaudy**[ˈgɔdɪ]
fashion[ˈfæʃən]　**brand-new**[brænd nu]　**wash your hair**[wɔʃ jʊr her]　**shampoo**[ʃæmˈpu]

的时候也不要用太多的 **detergent** 洗衣粉，以免造成环境污染。啊，这是打哪儿冒出来的环保人士呀？

实际上，只要我们穿着 **suit** 合适的、**fit** 合身的衣服，然后 **comb** 梳理整齐头发就可以了，就很美了。要是有人整年不理发，也不梳理，小鸟也会在上面筑巢的。我们可以用 **unkempt** 乱蓬蓬的这个词来形容他的发型。

- The clothes don't suit you.

  这件衣服不适合你。
- The clothes don't fit you very well.

  这件衣服大小不太合适。

拜托，快帮我弄一弄这一头稻草吧。

---

detergent[dɪˈtɝˑˈʤənt]　suit[sut]　fit[fɪt]　comb[kom]　unkempt[ʌnˈkɛmpt]

146

单词表

naked 裸体的

服装的种类

clothes（普通的）衣服

winter clothes 冬装

clothing 服装

wear（特殊场合所穿的）衣服

sports wear 运动服

· training clothes 训练服

suit 套装

· bathing suit 泳装

· diving suit 潜水服

costume 传统服装

· theatrical costume 舞台服装

· costume play 角色扮演

· costume film 古装片

uniform 制服

· school uniform 校服

  military uniform 军装

knit 编织

sweater 毛衣

pullover 套头毛衣

button 纽扣

cardigan 开襟羊毛衫

dress shirt 礼服衬衫

brief 男用紧身裤；三角裤

女装

brassiere 胸罩

masquerade 化装舞会 =costume party

underwear 内裤 =panties（女士用）

girdle 紧身短裤，束腹短裤

coat 外套

petticoat 衬裙

petty 小的

trenchcoat 军用防水短外衣，风衣

stockings 长筒袜 =hose

pantyhose 连裤袜

· tights 紧身衣

dress 女装，服装

· wedding dress 结婚礼服

evening dress 晚礼服

cocktail dress 酒会礼服

make-up 化妆

cosmetic store 化妆品店

compact 粉饼

lipstick 口红

dirt 灰尘

washing machine 洗衣机

Laundromat 自助洗衣店

· do the laundry 洗衣服

money laundry 付费洗衣

coin operated self-service laundries 投入硬币式自助洗

衣店 =coin-op laundry [laundromats]

stain 污渍

dry cleaner 干洗店

slovenly 不修边幅的 =untidy

gay 华丽的 =brilliant,gorgeous,splendid

tidy 整洁的 =neat

worn out 破旧的

ironing 熨烫

wrinkle 褶皱

smart 漂亮的，活泼的，聪明的，时髦的

stylish 时髦的，流行的

· Fine feathers make fine birds.人靠衣装，马靠鞍

rags 破烂衣衫

· A rags to riches story.白手起家的故事。

shabby 邋遢，破旧寒酸的

gaudy (文风、服饰等)华丽而俗气的，暴露的

· Discreet cleavage is advised.

请不要穿很低胸的衣服。(cleavage 是指乳沟)

fashion 流行 =vogue

brand-new 崭新的

wash your hair 洗头

shampoo 洗发香波

detergent 洗衣粉

suit 合适 =match,look good on

fit 尺码合适

· fitting room 试衣间

· The clothes don't fit you very well.这件衣服大小不太合适。

· The clothes don't suit you.这件衣服不适合你。

unkempt 蓬乱的

comb 梳（头）

食 物

若不懂饮食英文单词，那你最好保持沉默！

人活在这个世界上首要的就是填饱肚子。这一点，仅从餐桌在家庭中所占的空间位置就可以看得出来。所以，这一节我们就来讲讲 **food** 食物的故事。

经过特殊加工而成的食物叫做 **dish** 料理，而像 **breakfast** 早餐、**lunch** 午餐、**dinner** 晚餐这种周期性的日常用餐则叫做 **meal**。**Diet** 则指为了控制体重而制作的特定食品。

你们吃吧，我不吃啦，我正在减肥。

● I eat three meals a day.
　一天三顿饭。

● She is on a diet.
　她在减肥。

Meal 空档吃的食品叫做 **snack** 零食。有些女孩为了减肥，**skip** 省略正餐，但是饥饿难耐，只好猛吃一顿 **munchies** 小点心来充饥。效果可想而知，没瘦反而更胖了，因为 **cookies** 饼干和 **beverage** 饮料是更容易使人发胖 gain weight 的食物。其实一日三餐，少吃零食，减肥的效果才更好。

---

food[fud] **dish**[dɪʃ] **breakfast**[ˈbrɛkfəst] **lunch**[lʌntʃ] **dinner**[ˈdɪnɚ] **meal**[mil]
diet[ˈdaɪət] **snack**[snæk] **skip**[skɪp] **munchies**[ˈmʌntʃɪz] **cookies**[ˈkʊkɪz]
beverage[ˈbɛvərɪdʒ]

refreshment
refreshment是"re（重复）+fresh（新鲜的）"结合而成的单词，按字面上的意思是"让身体再次充满能量"，因此才会用来表示"茶点"。

和朋友一起聊天chat时，吃的饼干、喝的饮料，在英文中统称 **refreshment** 茶点。

>>> 各种味道

你喜欢哪一种 **taste** 味道？你觉得哪一种味道最 **delicious** 美味的呢？

哎哟，牙痛！但我还是吃，真甜啊！

Sweet 甜的食物很好吃，因为它加了很多 **sugar** 糖在里面，你喜欢这样的食物吗？如果喜欢，你的牙齿十有八九是不健康的，该不会只留智齿在那儿死撑了吧？＾＾

peach
peach这个单词，有人会藉以形容"有魅力"的女性。而不十分吸引人的女性则用lemon来形容。

桃子peach **luscious** 汁多味美，而且对人体还有好处。那为什么还要用luscious来形容超级性感的、刺激感官的成熟美女呢？单纯的文德不太清楚，更有点纳闷。＾＾

● The blonde lady looked luscious.那个金发女郎很吸引人。

熟透的橘子orange是 **juicy** 多汁的、好吃的。而没有熟透的李子或柠檬却是 **sour** 酸的，咬一口在嘴里，牙齿都快掉了，酸得你直皱眉头，眼角也酸出了皱纹wrinkle，这种滋味真是不好受。大家要想记住sour这个单词，可以去尝尝 **hardy orange** 野橙的味道喔。ㄧ..ㄧ；

● This orange tastes rather sour. 这个橙子有点酸。

refreshment[rɪ'frɛʃmənt]　**taste**[test]　**delicious**[dɪ'lɪʃəs]　**sweet**[swit]　**sugar**['ʃugɚ]
luscious['lʌʃəs]　**juicy**['ʤusɪ]　**sour**['saʊr]　**hardy orange**['hɑrdɪ 'ɔrɪnʤ]

要是吃了野橙，感觉不舒服，那赶快去找一个有名一点的 **herb doctor** 中医，吃点他帮你开的 **Oriental medicine** 草药、中药吧。不用说，当然是很 **bitter** 苦的，忍一下，不是有这样一句话嘛：Good medicine tastes bitter. 良药苦口。

怎么摸不到你的脉搏了…
?

韩国人做菜时常常会放一些 **condiment** 调味料来 **season** 调味。正因为做菜时的味道很 **hot** 辣很 **salty** 咸，所以有很多人得了胃病 stomach trouble。下次做菜的时候，记得少放点 **hot pepper** 辣椒或 **mustard** 芥末还有 **soy sauce** 酱油。趁着妈妈不在，赶快去厨房，往妈妈刚做好的汤里加点水。可能会觉得 **tasteless** 没味道的，但吃得 **flat** 淡的一点，对身体健康也有好处嘛。^ ^;;太淡吗？要是那样，就等汤凉一点 get cold，然后打入两个鸡蛋 **stir** 搅拌一下就变 **thick** 浓稠的

了。呵呵，不错，是个做 **cook** 厨师的料。要是失业了，可以去大饭店做 **chef** 主厨了。^_^

刚才传授的 **culinary skill** 厨艺还不错吧？以后学到新的 **recipe** 烹饪方法再告诉你们。呵呵。

对了，你旁边有没有 **garbage can** 垃圾桶？在妈妈来厨房之前，赶快把刚才 **cook** 煮的东西拿去扔掉。若是

我的 recipe 绝对不公开
我才不希罕哩

---

herb doctor[hɚb ˈdɑktɚ]　Oriental medicine[ˌɔrɪˈɛntl ˈmɛdəsn]　bitter[ˈbɪtɚ]
condiment[ˈkɑndəmənt]　season[ˈsizn]　hot[hɑt]　salty[ˈsɔltɪ]　hot pepper[hɑt ˈpɛpɚ]
mustard[ˈmʌstɚd]　soy sauce[ˈsɔɪ sɔs]　tasteless[ˈtestlɪs]　flat[flæt]　stir[stɚ]　thick[θɪk]
cook[kʊk]　chef[ʃɛf]　culinary skill[ˈkjulɪnɛrɪ skɪl]　recipe[ˈrɛsəpɪ]
garbage can[ˈgɑrbɪdʒ kæn]　cook[kʊk]

被妈妈发现，那可就有你好看的了。然后，赶快给附近的外卖小吃店打个电话要一份与妈妈煮得一样的汤。"Do you deliver? 你们送外卖吗？"至于米饭 boiled rice 就不用点了，**rice cooker** 饭锅里还有妈妈已经煮好的米饭。

有人说我疯了，一个人也能玩得那么开心。是不是要我模仿李周日（韩国喜剧演员）的超级爆笑腔调给你听？怎么，不满意吗？对了，小时候，我家院子里长的柿子 persimmon 有点 **astringent** 涩的（韩语中"涩的"这个词，有时也有"不满意的"意思。），不怎么好吃。ㄧ..ㄧ;

>>> 买菜

在各位读者当中，也许有人会认为"**market** 市场是女人该去的地方"，那么你可能是整天饥饿的 hungry 可怜人。身为新时代的新好男人，更要有能够去菜市场买菜的本领。好了，现在穿件从百货公司买的衣服，跟我一起提着菜篮去 **traditional market** 集贸市场看看吧。可是，我家附近没有集贸市场耶。没办法，那就只好去 **supermarket** 超市了。

小花姑娘去买菜
小花去买菜耶
啦啦啦
咚咚咚

produce section

今晚，我打算用 **lettuce** 生菜把 **pork** 猪肉包起来，再蘸点 **bean paste** 豆瓣酱吃个够，顺便呷一口小酒。猪肉当然要 **grill** 烤熟的了。既然已经打算好，那就去 **produce section**

rice cooker[ˈraɪs ˈkukɚ] astringent[əˈstrɪndʒənt] market[ˈmɑrkɪt]
traditional market[trəˈdɪʃənl ˈmɑrkɪt] supermarket[ˈsupɚˌmɑrkɪt] lettuce[ˈlɛtɪs] pork[pɔrk]
bean paste[bin pest] grill[grɪl] produce section[prəˈdjus ˈsɛkʃən]

农产品区买点所需要的食物回来吧。一方面要看一看**vegetables**蔬菜的新鲜程度，另一方面还可以尝一尝，感觉一下鲜嫩的程度，最后决定要买的食物。^ ^**Fresh**新鲜的是蔬菜好吃的关键。买菜的时候，晚点去更好，我聪明吧？实在是因为没钱啊。

首先要找到标有"MEAT"的区域 section。啊～找到了。每次看到肉摊上那拿着剔骨刀的大叔就觉得有点害怕。"I'd like 1kg of pork. Please, slice the meat thin. 我要 1 千克肉，麻烦您帮我切薄一点。"哇～，看大叔挥刀切肉的手法，真是到了炉火纯青的地步。我讨厌**fat**肥肉，"Could you trim the fat off the meat? 您可不可以帮我把肥肉剔出去？"大叔有点不耐烦 make a face 了。妈呀，太可怕了。

好吃的肉肉！

够新鲜了吧？

肉买好了，该去买菜了。生菜、**onion** 洋葱、**unripe red pepper** 青辣椒。大婶多给点吧，可怜可怜我这个在市场上买菜的大男人吧。呜呜。啊！差一点忘了买 **sesame leaf** 芝麻叶。芝麻叶，突然让我想起了邻家女孩的发型就像芝麻叶。咯咯咯。

最近正好是**strawberry**草莓的**in season**产季，顺便买点草莓带回家。既然决定要买，当然要先尝一尝了，"May I taste this strawberry? 可以尝一个草莓吗？"摊主不情愿地从嘴中挤出两个字：可以。"Wow, this strawberry tastes wonderful. 哇，这个草莓真是太好吃了。"既然已经免费品

结账

在美国买东西，大部分的店员找钱给顾客的方法相当有趣。比方说，你买了一件$48的东西，你拿了$100给店员。店员在找零的时候，会以每次拿$1的计算方式，一直到找你$49、$50为止。接着继续以每次拿$10的方式，口里嘟嘟地数着$60、$70、$80、$90、$100才算结账完毕。也就是说，他们的计算概念是，顾客所购买的物品价格是$48，那么，店员在找零给顾客的同时，也在核对顾客所付的钱和自己找给顾客的钱总和是否刚好是$100。

vegetables[ˈvedʒtəblz] **fresh**[frɛʃ] **fat**[fæt] **onion**[ˈʌnjən]
unripe red pepper[ʌnˈraɪp rɛd ˈpɛpɚ] **sesame leaf**[ˈsɛsəmɪ lif] **strawberry**[ˈstrɔˌbɛrɪ]
in season[ɪn ˈsizn]

153

尝了一个，不买就不好意思了，"Could I buy just two strawberries?我可以只买两颗草莓吗？"哎呀，不妙！摊主正向卖肉的大叔借刀呢，快跑！刚才尝的草莓的味道还真不错……。啧啧。

　　在商店里买东西，你可以直接问服务员，"Where can I find an onion? 哪儿可以找到洋葱？"也可以按照指示牌自己找到。你想买的食品，如果是鸡

① meat and poultry section 鲜肉、家禽区　② shopping cart 购物车　③ canned goods 罐头制品

④ aisle 通道　⑤ baked goods 烘烤食品　⑥ dairy section 乳制品

⑦ shopping basket 购物篮　⑧ produce section 农产品区　⑨ pet foods 宠物食品

肉等家禽类的，你可以去POULTRY看看；如果是火腿或起司之类的加工食品，可以去DELI或DELICATESSEN；如果是牛奶等奶制品，可以去DAIRY。如果是新鲜的鱼类呢？当然去FISH&SEAFOOD了。

⑩ frozen foods 冷冻食品　⑪ baking products 烘烤材料　⑫ paper products 纸制品（面巾纸等）
⑬ beverages 饮料　⑭ snack foods 点心　⑮ cash register 收银机
⑯ checker 收银员　⑰ express checkout line 快速结账口　⑱ paper bag 纸袋
⑲ plastic bag 塑料袋

>>> 做饭

倒胃口！

"那个女的真让人倒胃口！"，英文可以She turns me off.或是She's nasty.

哎呀，刚才乱七八糟地说了一通gibberish，现在才感觉到肚子有点**hungry**饿。这样下去，眼看要**starve to death**饿死了。也许是因为一日三餐不定吧，上课的时候总是感觉有气无力、昏昏沉沉。最近胃口也不好，难道是因为我太挑剔？呵呵。

有谁知道味道还不错的**appetizer**开胃菜？狗肉被排除在外。大家一定要搞清楚，沙拉salad和汤soup可不是什么开胃菜。开胃菜是指对身体不会造成任何伤害而且又能引起食欲的食品。例如，烟熏鲑鱼、烧烤田螺等。

- I have no appetite these days.
  最近胃口不好。
- I have a wolfish appetite these days.
  最近食欲旺盛。

说到这儿，该去做饭了。好久没有认认真真做一顿饭了，平时就是**noodles**面条，现在都吃腻了。**Rice**大米要先放到水里泡30分钟，等**macerate**泡软以后再煮更容易熟，而且也好吃。如果能和**cereals**谷类食物一起煮那就更好了。可惜现在没有，只好煮一锅香喷喷的白米饭来吃了。你也很想来一口吗？

hungry[ˈhʌŋgrɪ]　starve to death[stɑrv tə deθ]　appetizer[ˈæpəˌtaɪzɚ]　noodles[ˈnudlz]
rice[raɪs]　macerate[ˈmæsəˌret]　cereals[ˈsɪrɪəlz]

洗米的时候只要 **wash** 洗三遍就够了。妈妈说，若是洗的次数太多的话，米的角质就会被洗掉，胚芽 embryo bud of rice 中含有的丰富 **nutrient** 营养物也会消失。往锅里加适量的水是煮饭的关键 key point。具体的标准是什么呢？把手放进锅里，水位接近手腕的高度即可。哎呀，小姐你的手掌 palm 太厚了，那可怎么办呢？要不你把脚掌伸进去试试？嘿嘿。

不要在饭锅的显示屏信号从煮饭 cooking 跳到保温 keeping warm 后马上盛饭吃。应该先用 **rice scoop** 饭勺把米饭搅匀，然后盖上锅盖再等5分钟。这是煮饭的最后一道工序，利用锅里的蒸汽把米饭 **steam thoroughly** 完全焖熟。这时呱呱叫的肚子可不干了，"怎么还不行，要焖到什么时候啊？"但是，只有完成最后一道工序，米饭才好吃呢。不错吧，我煮饭的功夫是不是一流呀？哎呀，谁叫我是多才多艺的文德呢。简直可爱死了～。

现在我们可以 **set the table** 准备开饭了，做个 **sunny-side up** 半熟的煎鸡蛋和米饭一块吃，味道也不错。虽然没有 **side dish** 小菜和 **soup** 汤，我

①sunny-side up
半熟的煎蛋
②over hard
连同蛋黄也完全熟透的煎蛋
③soft-boiled egg
半熟的水煮蛋
④scrambled eggs炒蛋

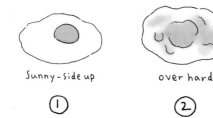

Sunny-side up
①

over hard
②

egg cup
Soft-boiled egg
③

Scrambled
④

wash[wɑʃ]　　nutrient[ˈnjutrɪənt]　　rice scoop[raɪs skup]　　steam thoroughly[stim ˈθʌrolɪ]
set the table[sɛt ðə ˈtebl]　　sunny-side up[ˈsʌnɪˌsaɪd ʌp]　　side dish[saɪd dɪʃ]　　soup[sup]

们还是吃得很开心。不是有这样的话嘛，"Hunger is the best sauce. 饥不择食。"

● I'm really full. —— I really stuffed myself.

我真的饱了。——肚子都填满了，怀孕啦？哇哈哈。

Doggy bag
在外面餐厅用餐，有时候会把吃不完的食物打包带回家，于是向服务员要一个可以装食物的袋子。用英文的说法是Doggy bag,please.这句话的意思是指带回去给家里的狗狗吃。不过，一回到家里，大部分都还是自己躲起来猛吃。

还有一件事，就是千万不要留 **leftovers** 剩饭，我听说剩饭可是造成环境污染environmental pollution的罪魁祸首呢。就是说，撑得实在不行了也要把东西全吃掉。要是还有点饿，可以吃些 **dessert** 甜点。你真的想吃吗？什么，都流口水了。嘿嘿。

leftovers
清洁队长

我随时都很饿

最后，再为各位介绍几种常用的烹饪技巧，然后进入下一个环节。搅拌是 **stir**，磨碎某物是 **grate**，倒入是 **pour**，削去、剥去是 **peel**，切开是 **carve**，搅拌（鸡蛋、奶油等）是 **beat**，切（面包、奶酪等）是 **slice**，切碎是 **chop**，蒸是 **steam**，用烤箱烘烤（肉、鱼等）是 **broil**，烤（面包、马铃薯等）是 **bake**，油炸是 **fry**，水煮是 **boil**。

>>> 在餐馆

自己做饭，比较省钱而且又健康卫生，所以尽量避免 **eat out** 在外面吃。但是实际生活中有很多时候我们不得不在外面的 **restaurant** 餐馆吃。有些餐馆生意兴隆，吃饭还需要 **stand in line** 排队，为了节约时间，只好 **cut in line** 加塞，结果引来一片骂声，你只好灰溜溜地排到末尾。所以，为了避

难得要去外面吃饭了。

我也去！

leftovers[ˈleftˌovɚz] **dessert**[dɪˈzɚt] **stir**[stɚ] **grate**[gret] **pour**[pɔr] **peel**[pil]
carve[kɑrv] **beat**[bit] **slice**[slaɪs] **chop**[ʧɑp] **steam**[stim] **broil**[brɔɪl]
bake[bek] **fry**[fraɪ] **boil**[bɔɪl] **restaurant**[ˈrɛstərənt] **cut in line**[kʌt ɪn laɪn]

免这种情况的发生，最好是出门之前就
make a reservation 预约好。

● This restaurant is always crowded.

这家餐馆经常爆满。

如果没有时间打电话预约，只好先去**fast food**快餐店买个**hamburger**汉堡 **to go** 打包，一边排队，一边慢慢啃了。

● Here or to go?

您在这儿吃，还是打包带走？

● To go, please.

打包带走。

进到餐馆，服务员会为你安排位置，然后把**menu**菜单拿给你看。在想吃的东西中，选一个最便宜的（因为没有钱）向服务员**order**点菜。如果你实在不懂得该怎么点，那你可以这样对服务员说："What's good here?这里什么菜最好吃？"、"Can you recommend anything?你可以帮我推荐一下吗？"、"What's the chef's recommendation?主厨推荐的菜是什么？"、"What's today's special?今天的特色菜是什么？"、"What can I get quickly?哪种菜比较快？"

make a reservation[mek ə‚rɛzəˈveʃən]　fast food[fæst fud]　hamburger[ˈhæmbəˌgə]
to go[tu go]　menu[ˈmɛnju]　order[ˈɔrdə]

如果和朋友一起去吃饭，他点了更好吃的东西，那你可以对服务员说：

● I'll have the same. 我也一样。

如果你点了 **beefsteak** 牛排，waiter 服务员可能会这样问你："How do you like your steak? 请问您需要几成熟呢？"在这件事上千万别开玩笑，要一份 **rare** 三成熟的或者 **medium** 半熟的，结果全剩下了，一口都不敢吃。你可以这么说："Well-done, please. 全熟的。"要是不喜欢全熟的，可以要一份 **medium well-done** 七八成熟的。

下课后，手上全是粉笔末，所以到了餐馆我一定会先要一块**wet towel**湿纸巾把手擦干净。讲究卫生对身体健康有好处，所以大家一定要养成饭前便后洗手的好习惯。

好不容易等到你点的菜上来了，吃得津津有味的时候，千万不要从嘴角**spill the food**溅出食物。桌子上有**napkin**餐巾纸，你可以时不时地用它来**wipe**擦拭一下自己的嘴角。要是让与你同桌吃饭的朋友没了食欲，那可就太失礼了。这时，服务员端来一盘小菜，对你说："This is on the house. 这是本店赠送的。"千万别乐得找不到北了。

beefsteak[ˈbifˈstek]　　rare[rɛr]　　medium[ˈmidɪəm]　　wet towel[wet ˈtaʊəl]　　spill[spɪl]
napkin[ˈnæpkɪn]　　wipe[waɪp]

吃饱了，该结账了。这一瞬间是很重要的。如果朋友对你说："Let me get this. 我请客。"你要谢谢人家，然后赶快先走一步，免得他后悔。如果你不想占别人的便宜，可以这么说："Let's go Dutch. 咱们 AA 制。"结完账后要记得拿 **receipt** 收据啊。

- Can we have the bill, please?
  请把账单给我。
- What's the total?
  一共多少钱？

Dutch的由来
听说，荷兰人（Dutch）习惯各付各的。所以，人们就用Dutch来表示各付各的帐。是不是真的，我得给希丁克教授打个电话问一下！

>>> **在酒吧**

喝碗茶解解酒吧。

Alcohol 酒喝多了对身体不好，可是日常生活中又离不开它。昨晚喝多了，现在还处于 **hangover** 宿醉状态呢，头一阵一阵地痛。昨晚喝那么多是有原因的，见到一个老朋友，他说："Let me buy you a drink. 我请你喝一杯。"不花钱，白喝，傻子才不去呢。于是我对朋友说："Let's drink till we drop. 一醉方休。"

我们去了一家我经常光顾的 **bar** 酒吧喝 **beer** 啤酒。推杯换盏，满载情谊。喝酒的气氛越来越浓，我说："Cheers! 干杯！"他就高喊："Bottoms up. 干了！"两个人喝得兴高采烈、不知所云。

Bottoms up!!

挡不住的感觉……

干杯！
"干杯"的英文说法，Let's make a toast. 是其中一个。据说，从前人们在喝酒的时候，为了加重酒味会在杯子里放一小片吐司，而这就是这句话的由来。

receipt[rɪˈsit]　alcohol[ˈælkəˌhɔl]　hangover[ˈhænˌovə]　bar[bɑr]　beer[bɪr]

慢慢觉得啤酒的味道似乎有些太淡了，干脆就换成了**whisky**威士忌。朋友喝的那一杯**on the rocks**加了冰块，而我却对酒保说："I like it straight. 给我来杯纯的。"、"Make that a double, please.双份。"

我的前生肯定是个**heavy drinker**酒鬼。一来二往，我有点**feel tipsy**喝醉，全身**be buzzed**轻飘飘的。还好，朋友也说："Let's make this the last one.到此为止。"朋友结完账，我们晃晃悠悠走出了酒吧。"要不找个别的地方再喝一顿？"嘿嘿。

● Let's go bar-hopping.
咱们再喝一轮。

饮酒时的礼貌

很多人喝酒时喜欢找人碰杯，或是不断地敬酒，这对我们来说习以为常。但是，如果是跟外国人一起喝酒的场合，这一点必须小心才好。因为这样的饮酒习惯，在外国人看来是很不妥当的。

朋友居然当真了，于是我们又去了一家，不过我真的不记得叫什么名字了。为什么呢？还用说吗？当然是喝多了，脑袋**black out**发晕呢。还好，酒后朋友把我安全送回家，真的让我很感动。可是第二天早上，我却把昨晚喝的酒全都 **throw up** 吐了出来。实在可惜。

whisky[ˈhwɪskɪ]　rocks[rɑks]　heavy drinker[ˈhɛvɪ ˈdrɪŋkɚ]　tipsy[ˈtɪpsɪ]　buzzed[bʌzd]
black out[blæk aʊt]　throw up[θro ʌp]

从那之后，这个朋友就再也没有打电话给我。"胜树啊，赶快和我联系，你的假发还在我这里耶。"

因此，无论如何，我都得赶快 **quit drinking** 戒酒，要不然以后连一个朋友都没有了。戒酒虽然难，但是适当的控制应该可以做得到。酒还是少喝为好，免得落得像我一样的下场。

单词表

food 食物

dish 菜

breakfast 早餐

lunch 午餐

dinner 晚餐

· I eat three meals a day. 我每天吃三顿饭。

· She is on a diet. 她在减肥。

meal 正餐（日常有规律的饭）

diet（病人的）规定饮食，节食

snack 零食 =eating between meals, light meal

skip 略过,跳过

munchies 小点心

cookies 饼干

beverage 饮料

· vending machine 自动售货机

refreshment 茶点

· refreshment:re（重新）+fresh（新鲜的）—→茶点（恢复
精力的东西）

各种味道

taste 味道

delicious 美味的

sugar 糖

sweet 甜的 =sugary

· I have a sweet tooth. 我喜欢甜食。

luscious 香甜，好吃的，迷人的

The blonde lady looked luscious. 那个金发女郎看上去很迷人。

juicy 多汁的 =succulent

sour 酸的 =acid

· This orange tastes rather sour. 这个橙子很酸。

· sour 脾气坏的，刻薄的

what's the sour look for? 为什么那么不开心呢?

hardy orange 野橙子

herb doctor 中医

Oriental medicine 草药，中药

bitter 苦的

· Good medicine tastes bitter. 良药苦口。

condiment 调料

season 调味品

hot 辣的 =pungent

salty 咸的

hot pepper 辣椒

mustard 芥末

soy sauce 酱油

tasteless 难吃的

flat 淡的 =insipid

· flat 原意是扁平的，平坦的。也有"清淡的，果断的"意思。

stir 搅拌 =beat up

thick 浓的

cook 厨师

· cook 做饭

cooker 炊具

cookery 烹饪方法

chef 厨师

culinary skill 厨艺

recipe 烹饪方法 =cookery

garbage can 垃圾桶 =trash can

cook 做菜

rice cooker 饭锅

astringent 涩的

买菜

market 市场

traditional market 集贸市场

supermarket 超市

pork 猪肉

lettuce 生菜

bean paste 豆瓣酱

grill 烤（肉类）=toast 烤（面包等）

produce section 农产品区

vegetables 蔬菜

fresh 新鲜的

fat 肥肉

onion 洋葱

unripe red pepper 青辣椒

sesame leaf 芝麻叶

strawberry 草莓

in season 旺季

做饭

hungry 饥饿的

starve to death 饿死

appetizer 正餐前开胃的食物

· dessert 甜点心

desert 沙漠，抛弃

· I have no appetite these days. 我最近没有胃口。

I have a wolfish appetite these days. 最近我胃口很好。

noodles 面条

rice 大米

macerate 浸软

cereals 谷类食物

wash 洗 =rinse

nutrient 营养物;营养的

rice scoop 饭勺

steam thoroughly 完全焖熟

set the table 摆好餐具

sunny-side up 半熟的（煎蛋）

· poached 煮熟的

　soft-boiled egg 水煮蛋

　scrambled 炒的（蛋）

side dish 小菜

soup 汤

leftovers 剩饭菜

· 帮我把剩菜打包吧。

Can I get that to go, please?

Can you pack the leftovers, please?

I'd like to take the rest home.

Could I have a doggy bag?

dessert 饭后甜点

stir 搅拌

grate 磨碎

pour 倒，注入

peel 削去，剥去

carve 切开

beat 搅拌（鸡蛋，奶油等）

slice 切片（面包，奶酪等）

chop 切碎

steam 蒸

broil 放在烤箱里烤（肉、鱼等）

bake 烤（面包，土豆等）

fry 油煎

boil 煮

在餐馆

eat out 在外面吃

restaurant 饭店

stand in line 排队

cut in line 加塞

make a reservation 预订

· This restaurant is always crowded.

这家餐馆人总是爆满。

fast food 快餐

hamburger 汉堡

to go 外带

menu 菜单

· 请给我菜单看看。

Will you show me the menu, please?

May I see a menu?

Menu, please.

order 点菜

· 我要份同样的。

I'll have the same.

I'll have that, too.

Make that two.

Same here.

· 我要和你同样的。I'll have the same as you.

beefsteak 牛排

rare 煮得嫩的

medium 半熟的

· well-done 熟透的

medium well-done 七、八成熟的

wet towel 湿纸巾

spill the food 溅出食物

napkin 餐巾

wipe 擦

· wipe one's mouth with one's napkin.用餐巾擦嘴。

· Spread one's napkin on one's lap.把餐巾打开在膝上。

· Fold a napkin.把餐巾折起来。

This is on the house.这是本店赠送的。

· 这是本店赠送的。

This is free.

You don't need to pay for this.

We won't charge for this.

This is service.(x)

Let me get this.我来买单。

· 我来买单。

It's on me.

I'd like to pay for this.

I'll pick up the tab.

Let's go Dutch.咱们AA制吧。

· Let's split the bill.

Let's go fifty-fifty on the bill.

receipt 收据

在酒吧

alcohol 酒

hangover 宿醉

bar 酒吧

beer 啤酒

whisky 威士忌

on the rocks 放入冰块

Make that a double, please.要双份的。

· Double shot,please.

Make it strong.

heavy drinker 酒鬼

· I fee tipsy. 我觉得有些醉了

Let's go bar-hopping.咱们去另外一家酒吧接着喝吧。

feel tipsy 有些醉意

be buzzed 飘飘然的

black out （因饮酒）发晕

· pass out 醉晕

pass away 去世，死亡

throw up 呕吐 =barf,vomit

quit drinking 戒酒 =stop drinking

04

购 物

"清仓"用英语怎么说？

到现在为止，生活中的衣、食、住 food、clothing and housing 基本都讲清楚了，该到 **shopping** 购物的时间了。目前的 **discount mart** 折扣店比 **department store** 百货商场的人气都要高，因为在那里可以买到 **wholesale price** 批发价格的商品。不知道为什么大家都那么能购物，每辆 **cart** 手推车都是满满的，而且每个 **checkout counter** 收银台旁都排着长长的"车队"。

百货商场在 **bargain sale** 打折的时候，也会有些商品卖得比平时 **retail price** 零售价低很多。尤其是 **clearance sale** 清仓大甩卖的时候，商品快要便宜到老板都要吐血而亡了。所以有些人一直等到某些 **merchandise** 商品快要 **sold out** 售完的时候才去购买。不过，买到的衣服大多是尺寸 size 不合适、做工粗糙、线头 bits of thread 随处可见的衣服。

这就应了下面这句话："Buy cheap and waste your money. 便宜无好货。"咯咯咯。

Garage Sale
这是在国外可以经常看到的场景，有些人会把自己不太想要的东西集合在自家的车库然后叫卖，所以叫作 Garage Sale。如果是在车库外的自家院子里叫卖，就称为 Yard Sale。而搬家前将家用品清理出来拍卖则叫 Moving Sale。

shopping [ˈʃɑpɪŋ] discount mart [ˈdɪskaʊnt mɑrt] department store [dɪˈpɑrtmənt stɔr]
wholesale price [ˈholˌsel praɪs] cart [kɑrt] checkout counter [ˈtʃɛkaʊt ˈkaʊntɚ]
bargain sale [ˈbɑrgɪn sel] retail price [ˈritel praɪs] clearance sale [ˈklɪrəns sel]
merchandise [ˈmɝˈtʃənˌdaɪz] sold out [sold aʊt]

头脑一热，一味追求 **top brand** 名牌，结果搞得自己背上信用不良的称号，那可就惨了。如果你真的很想买外国名牌，那么出去逛街时，可以先 **window shopping** 只看不买，然后等到去国外旅行的时候到 **duty free shop** 免税店购买，这样你还能节省不小的一笔钱呢。还有一个办法，就是买 **fake** 假货，既能省钱，又能满足自己的虚荣心。我喜欢 Nite 的运动鞋，Barbely 的皮夹，还有 Loles 的手表。**Genuine** 真品太 **expensive** 昂贵买不起。嘿嘿，和大家开玩笑的，为了维系良好的商业环境，我们大家不要买假货，更不能卖假货！请大家告诉大家！

　　昨天我去百货商场买东西，给为我服务的专柜小姐 clerk 添了不少麻烦。咯咯。我没有特别 **favorite brand** 喜爱的品牌，平时穿衣服很随便，只要合适就行。别人说我随便打扮打扮就很帅，气质不  凡……。文德又在自吹自擂了。嘻~。昨天，在百货商场闲逛的时候，突然发现一件令我很喜欢的衣服，随即决定找一件 **size** 尺码合适的试穿一下。旁边的小姐开始忽悠我了，不停地说很适合我，说我穿着这件衣服更帅了。我

---

top brand[tɑp brænd]　**window shopping**[ˈwɪndo ˈʃɑpɪŋ]　**duty free shop**[ˈdutɪ fri ʃɑp]
fake[fek]　**genuine**[ˈʤɛnjuɪn]　**expensive**[ɪkˈspɛnsɪv]　**favorite brand**[ˈfevərɪt brænd]
size[saɪz]

有点飘飘然了，还用她说，也不看是什么人穿。呵呵。不过这件衣服也太贵了吧。于是我对小姐说："What a rip off! Can you give me a discount? 我有一种被宰的感觉，太贵了，能不能便宜点？"结果那个小姐鼻子都气歪了，指着我说："这里又不是菜市场，讨价还价，没门。"她的意思是说，百货商场的商品都是 **fixed price** 一口价，没有商量的余地。我针锋相对："世界上哪有不砍价的商品。"看来那个小姐真的气坏了，很没礼貌地对我说："Take it or leave it. 爱买不买，随便。"我也不甘示弱："I'll look around a little more. 我再看看。立马走开。"其实，刚才我已经把鼻涕沾到那件衣服上啦～～。哈哈。

果然是 on-line 购物更方便。

不用忍受没礼貌的店员…

最近 **Internet shopping mall** 网上购物和 **TV home shopping** 电视家庭购物很流行，而且也能买到了一些很实用的东西。尤其是一些购物网站经常会以 **auction** 拍卖的方式出售商品，所以顾客可以以很低的价格买到商品。再说了，一到百货商场打折的时候，附近的商业区 downtown 那混乱的交通 traffic jam 就让人头大，所以说 **on-line** 网上购物效率更高。

老板，先欠着

这回可没得商量

现在到处都是家乐福 Carrefour 这样的大型超市，货真价实，购物方便。所以原来的那些小 **store** 商店日子就不好过了，小店主人整天愁眉

---

fixed price[ˈfɪkst praɪs]　**Internet shopping mall**[ˈɪntə-net ˈʃɑpɪŋ mɔl]　**auction**[ˈɔkʃən]
on-line[ɑn laɪn]　**store**[stɔr]

苦脸的。而我更愿意去那些离家近的小商店，因为可以 **on credit** 赊账。告诉你一个小秘密，下个月，我就偷偷搬家了。哈哈。

不仅仅是超市，**convenience store** 便利店也随处可见。便利店之所以受到大家的欢迎，主要是因为它们24小时营业，更何况韩国人是出了名的夜猫子 "sit up late"。一般来说，喝醉酒的人才会在半夜或凌晨出没于便利店。有些醉汉甚至三更半夜跑去买 **scratch and win lottery ticket** 刮刮乐，

Convenience store 是夜猫子族的好去处

还不忘 **haggle** 砍价，走时还要 **plastic bag** 塑料袋。要塑料袋的意图很明显，当然是呕吐 vomit 了。如果到此为止，还不算什么，可是还在那儿吹牛皮、说大话、摆阔，"Keep the change! 零钱就不用找了！"大哥！还差10块钱呢！

你知道吗？在美国或是加拿大的普通超市里只能买到酒精度低于3%的啤酒。如果想买其他种类的酒，只好去 Liquor store 买了。当然，这些地方小孩是禁止入内的，而且买酒的时候还要出示身份证。这些地方同时兼卖《Playboy》和《Penthouse》等成人杂志 adult magazine。可以说文德喜欢的，在那里都能买到。嘻嘻。

on credit[ɑn ˈkrɛdɪt]　　convenience store[kənˈvinjəns stɔr]　　scratch[skrætʃ]　　lottery[ˈlɑtərɪ]
haggle[ˈhægl]　　plastic bag[ˈplæstɪk bæg]

单词表

shopping 购物

department store 百货商店

discount mart 打折卖场

wholesale price 批发价格

cart 购物车

checkout counter 收银台

bargain sale 打折

retail price 零售价格

· MSRP 厂商建议的零售价格

（manufacturer's suggested retail price）

clearance sale 清仓大甩卖

merchandise 商品

sold out 售完的 =out of stock

top brand 名牌

window shopping 只看不买

duty free shop 免税店

fake 仿造品 =imitation

genuine 真品 =authentic

expensive 昂贵的 =costly, dear

favorite brand 钟爱的品牌

size 尺码

· Do you have this in my size? 这件衣服有我穿的号码吗？

What size do you wear? 您穿什么号？

I wear a medium. 我穿 M 号。

We don't have your size. 没有您穿的号了。

Do you have this in a larger size? 有大一号的吗？

fixed price 固定价格(不还价)

internet shopping mall 网上购物

TV home shopping 电视家庭购物

auction 拍卖

· Dutch auction 降价拍卖

public auction 公开拍卖

mock auction 模拟拍卖

on-line 网上

store 商店

on credit 赊账

· No credit.Cash only. 谢绝赊账。现金支付。

· installment plan 分期付款

· on a 12-month installment plan.12 个月分期付款

convenience store 便利店

scratch and win lottery ticket 刮刮乐

haggle 讨价还价

· How much discount do we get? 打几折？

50% off.5 折。

plastic bag 塑料袋

172

>>>05

运动与休闲

你都做什么运动?

为了保持身体健康，每天都要坚持 **exercise** 运动。什么，你只在晚上做做 **gymnastics** 体操而已？那是不是有点……。至于我，太忙了，几乎没有时间运动，好像每个人都是这样的借口。所以每天早上上课的时候我就在讲台 podium 上走来走去，权当作 **morning walk** 清晨散步了。不知道是不是这个原因，教室前排的座位总是空空的。呜呼～。

● You should get regular exercise to stay healthy.为了保持健康，必须有规律地锻炼。

散步也是不错的运动!

若是我出生在韩国受日本统治的时期，有一项运动，就算是抛头颅、洒热血我也要拼命去做的，那就是 **independence movement** 独立运动！最近去练歌房总要点一首爱国歌曲唱。"独立～独立～喔，在那颤抖的秋夜～～ ♫♪。"

想要身体健康就要多活动!

你不累啊……还是你自己去运动吧!

拖行

---

exercise[ˈɛksəˌsaɪz]　**gymnastics**[dʒɪmˈnæstɪks]　**morning walk**[ˈmɔrnɪŋ wɔk]
independence movement[ˌɪndɪˈpɛndəns ˈmuvmənt]

文德很了不起吧？呵呵呵。总之，我们要坚持锻炼。你应该听过这么一句话吧，"Our physical stamina is our national power.强健的体魄是国家的力量。"

你知道韩国在世界上最出名的 **sports** 运动是什么吗？除了 **archery** 射箭、**taekwondo** 跆拳道、**badminton** 羽毛球等是我们的优势 **event** 项目外，**Korean wrestling** 韩式摔跤才是最强的运动吧？因为其他国家的人好像没有会绑 **thigh band** 大腿绷带的，所以都不能参赛哟。^ ^

跆拳！

词根chron "时间"
词根chron意为"时间"。synchronize是由syn"同时"+chron"时间"组合而成的，意为"同时发生"。
· ana（向后）+chron（时间）→anachronistic（过时的，时代错误的）

在 **Olympic Games** 奥运会所有竞赛项目中，我认为最神奇的项目是 **synchronized swimming** 水上芭蕾，一群人在水中，动作整齐划一，艺术性很高，我每次观看都会啧啧赞叹。其次，我认为 **walking race** 竞走也很有魅力，走的时候，屁股还扭呀扭的，像可爱的企鹅，不过真的很辛苦，要是脚抽筋 have a cramp 了怎么办呢？

韩国足球队的 **soccer** 足球水平也是有目共睹的。在2002年韩日世界杯 Korea-Japan World Cup 中，我们冲进了 **semi-finals** 半决赛。如果今后继续努力的话，相信总有一天我们会拿到冠军的。来，让我们像 **Red Devils** 红魔拉拉队那样，为自己 **cheering** 欢呼一次吧！"加油，加油！"另外FIFA这个名词是怎么来的呢？这应该算是常识,趁着现在这个机会一定要把它记

sports[spɔrts]   archery[ˈɑrtʃərɪ]   taekwondo[taiˈkɔndo]   badminton[ˈbædmɪntən]
event[ɪˈvent]   Korean wrestling[kəˈrɪrn ˈreslɪŋ]   thigh band[θaɪ bænd]
Olympic Games[əˈlɪmpɪk gemz]   synchronized swimming[ˈsɪŋkrəˌnaɪzd ˈswɪmɪŋ]
walking race[ˈwɔkɪŋ res]   soccer[ˈsɑkə]   semi-finals[ˌsemɪ ˈfaɪnlz]
Red Devils[red ˈdevlz]   cheering[ˈtʃɪrɪŋ]

住哟。如果因为有人连这个都不知道，害得我们国家队的国际 **ranking** 排名下降，该怎么办呢？＾＾**FIFA** 是 **Fédération Internationale de Football Association** 世界足球联盟的缩写。

啾！

现在流行 **rollerblading** 轮滑，而我上高中的时候却流行 **ice skating** 溜冰。当时的 **skating rink** 溜冰场是不良少年 juvenile delinquent 经常出没的地方。奇怪了，当时我为什么经常去那儿呢？记不太清楚了，挠头。嘿嘿。

有一项 **leisure sports** 休闲运动，我一直很向往，那就是去一个美丽的 **resort** 度假胜地，像美人鱼 mermaid 一样以 **scuba-diving** 轻便潜水的方式在海底探险，说不定还能找到 "海洋之星"（电影《泰坦尼克》中的一颗价值连城的钻石）呢。我游回岸边，带着这颗钻石，来到正在 **beach** 海边做 **suntanning** 日光浴、穿着 **bikini** 比基尼、躺在沙滩上的金发美女身边，和她搭讪："美女，要不要这个，要的话就跟我走吧！"嘿嘿。说不定那位小姐会对我说："先生，你有病啊？""哈哈，我是开玩笑的，别介意。"然后灰溜溜地离开。我看我八成是疯了～。

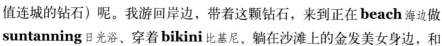

ranking[ˈræŋkɪŋ]　FIFA[ˈfifə]　rollerblading[ˈrolɚˌbledɪŋ]　ice skating[aɪs ˈsketɪŋ]
skating rink[ˈsketɪŋ rɪŋk]　leisure sports[ˈliʒɚ ˌspɔrts]　resort[rɪˈzɔrt]
scuba-diving[ˈskubə ˌdaɪvɪŋ]　beach[biʧ]　suntanning[ˌsʌnˈtænɪŋ]　bikini[bɪˈkini]

各位,最近你们的**recreation**消遣娱乐活动丰富吗?我知道我的很多学生最近学习都不用功,只要一有时间就去"挖矿mineral",就像星海争霸StarCraft之类的网络游戏。据说只要玩一次就上瘾,往后无时无刻不想着"挖矿"这件事。要是这样下去的话,我看他们真的要去当**miner**矿工了。

● My brother is addicted to StarCraft.
　我弟弟沉溺于StarCraft网络游戏。

妈,我急需轻
松一下耶。

一天到晚轻松啊?

recreation[ˌrɛkrɪˈeʃən]　**miner**[ˈmaɪnə]

单词表

exercise 运动 =workout

· Do you work out every morning?

你每天早上都做运动吗?

· You should get regular exercise to stay healthy.

要想保持健康,就得有规律地锻炼。

gymnastics 体操

morning walk 清晨散步

independence movement 独立运动

· Independence Movement Day 独立运动纪念日

Constitution Day 行宪纪念日

Foundation Day 建国日

sports 运动

archery 射箭

taekwondo 跆拳道

badminton 羽毛球

event 项目

Korean wrestling 韩式摔跤

thigh band 大腿绷带

Olympic Games 奥运会

synchronized swimming 水上芭蕾

· 词根 chron:"时间"

synchronise:syn(一起)+chron(时间)→使同步,使同时发生

chronic(病)慢性的

anachronistic:ana(后)+chron(时间)→过时的

diachronic:dia(through)+chron(时间)→历经历史长河的

walking marathon 竞走

soccer 足球

semi-finals 半决赛

Red Devils 红魔

cheering 欢呼 =rooting

ranking 排名

FIFA 世界足球联盟

=Fédération Internationale de Football

Association

· IOC:International Olympic Committee

国际奥林匹克委员会

rollerblading 单排轮滑运动 =inline skating

ice skating 溜冰

skating rink 溜冰场

· golf-links 高尔夫场 =golf course

leisure sports 休闲运动

resort 休养地,度假地

scuba diving 轻便(潜水器)潜水

beach 海边,海滩

bikini 比基尼

suntanning 日光浴

recreation 转换心情,娱乐

miner 矿工

· My brother is addicted to StarCraft.

我弟弟沉溺于"海星争霸"。

旅 行

地球虽大，
但世界很小

>>> 各种旅行

哎呦，为了逛街几乎走遍了整个 **downtown** 商业区，逛得我是晕头转向。首尔市区真是太复杂了，**traffic jam** 交通拥堵状况非常严重。以后要是有时间，还是去日山或者九里这样的 **suburb** 郊区 **picnic** 野餐比较好。

大家还记得学生时代 school days 的野餐吗？妈妈做的爱心便当！味道好极了。午餐后的 **hunt** 寻宝游戏，我玩得不亦乐乎。下午的 **performance contest** 才艺表演更是活动的高潮。那时候的我边唱边跳，才艺双全，很受大家欢迎。哎呀，那可是文德的鼎盛时期啊。啧啧。

又找到一个！

"啊！过去的时光～不能倒流，只剩下回忆！♫"

上高中的时候，我总是期盼着去校外 **field trip** 实地考察日子的到来。有一次，我的一个同班同学，包里装了满满的东西，别人还以为她是一个 **a girl**

downtown[ˈdaʊnˈtaʊn]   traffic jam[ˈtræfɪk ʤæm]   suburb[ˈsʌbɚb]   picnic[ˈpɪknɪk]
hunt[hʌnt]   performance contest[pɚˈfɔrməns ˈkɑntɛst]   field trip[fild trɪp]

who's run away 离家出走的少女
呢。现在的大学生中流行 **g o
backpacking** 自助旅行，我上大学
的时候，做梦都不敢想这个，因为
那时我根本就没有背包。嘿嘿。

field trip

● I'm going backpacking this summer.
今年夏天我准备去自助旅行。

一般的旅行用 **travel** 就可以了，因公而进行的短暂旅行叫做 **trip**，观
光旅行叫做 **tour**。**Journey** 多指长途旅行，
所以一定要做好准备才可以出发。当你在
journey 中时，妈妈可能会觉得"时机成熟"，
然后就偷偷地搬了家。等你回来以后，就沦落
为 **homeless** 无家可归的人了，所以平时一定
要好好孝顺父母哟。^ ^

这些都是我习惯用的。

traveler
traveler是指"旅行者,旅
行家"。而journeyman
又是什么意思？虽然这
个单词是journey加上
man，不过，在含意上
却是指"熟练的工人"。
这两个单词很容易混淆，
请各位特别留意。

● I'm going on a four-day three-night trip to Japan.
我要去日本旅行 4 天 3 夜。

恶

海上旅行的时间比较长，所以叫做
voyage 航海旅行。去之前你要先学会游泳
swimming 才保险耶，这是看过《泰坦尼克
（Titanic）》后的感想。如果你游泳技术还不错，
碰巧也遇上了像电影中那样的海难，当轮船即
将沉没sink 或是翻船capsize 之时，你可以凭借自己高超的泳技将女友救上岸，
从此过着幸福美满的生活。可是我对电影中的女主角感到很生气，明明船甲

---

a girl who's run away[ə gɚl hus rʌn əˈwe] **go backpacking**[go ˈbæk.pækɪŋ] **travel**[ˈtrævl]
trip[trɪp] **tour**[tʊr] **journey**[ˈʤɚnɪ] **homeless**[ˈhomlɪs] **voyage**[ˈvɔɪʤ]

板很宽敞，为什么不叫那个男的也上去呢？眼睁睁地看着他被冻死，真是可怜～！

我也希望有一天能够乘着**pleasure boat**豪华游轮去地中海Mediterranean Sea **cruise tour** 观光旅游。也可以去南极 Antarctica **safari** 狩猎探险，顺便可以抓只笨重的企鹅回来玩。企鹅的腿那么短，一定跑不过我。等着吧，企鹅！我迟早会逮住你的。呵呵呵。

看过这些我还不过瘾，还想参加游览 **historic site** 名胜古迹的 **theme tour** 主题之旅。我对历史有所了解……晕了，突然不知道该说什么好了。一面游览金佐镇将军青山大捷的现场，一面和朋友玩 **role-playing** 角色扮演的游戏。还用说嘛，我当然是金佐镇将军了，你这个可恶的坏蛋，死定了，拿命来。砰砰！！

这是古人的遗迹那！

偶尔的旅行可以为我们平淡的生活注入一针兴奋剂tonic，使我们的生活更加丰富多彩。所以建议各位找个时间和自己的情人去旅行吧！去国外旅行就更好了，去之前千万别忘了恶补英语哟，要是因为英语水平差而闹得旅途不愉快的话，那可就不好了。＾＾

请叫我 vagabond.

又出去流浪了

旅行也只能是偶尔为之，若是总在旅行中，那与**vagabond**流浪者就没什么分别了。又不是什么**nomad**游牧民族，放牧到哪里就把家安到哪里。来个智力测试，有一种旅行一生最好只去一次，是什么呢？对了，就是 **honeymoon** 蜜月旅行。＾_＾ "**Honey** 亲爱的，怎么还不从浴室里出来呢？"

historic

historic的意思指的是"有历史意义的"，而historical则是指"历史的"。
另外，classic是指"经典的"，classical则是指"古典的"的意思。

pleasure boat［ˈplɛʒɚ bot］ **cruise tour**［kruz tʊr］ **safari**［səˈfɑrɪ］ **historic site**［hɪsˈtɔrɪk saɪt］
theme tour［θim tʊr］ **role-playing**［rol ˈpleɪŋ］ **vagabond**［ˈvæɡəˌband］ **nomad**［ˈnomæd］
honeymoon［ˈhʌnɪˌmun］ **Honey**［ˈhʌnɪ］

>>>国外旅行

"The earth is large，but the world is small.地球虽大，世界却变得如此之小。"这是韩国著名的语言学家文德刚说的至理名言，还不赶快记下来。嘿嘿。＾＾

Globalization 全球化趋势锐不可挡，去国外旅行已不是什么困难或者新奇的事情了，所以你是不是已经做好了去国外旅行的准备呢？我终于下定决心，今年春天去了一趟加拿大，因为不需要 **visa** 签证。可机票却贵得吓人。－..－;;还好

有个朋友在 **travel agency** 旅行社工作，他替我付了账，还为我 **reserve** 预订了 **round-trip ticket** 往返机票和下榻的 **hotel** 饭店，我真的应该好好感谢他才行。

[在机场]

出发当天！！我们乘坐 **airport bus** 机场巴士来到了号称东亚新 **transportation hub** 交通枢纽的 **Incheon International Airport** 仁川国际机场。没有人来为我 **see off** 送行。哎，只好孤零零一个人，拉着 **trunk** 旅行箱，走到 **airline** 航空公司的柜台前办理 **check-in** 登机手续。出示 **flight ticket** 机票和 **passport** 护照，领到 **boarding pass** 登机牌，准备登机了。起初柜台小姐说我只能坐 **aisle seat** 靠过道的位子，可由于我固执的坚持，最后还是争

---

globalization[ˌglobəlaiˈzeʃən]　**visa**[ˈvizə]　**travel agency**[ˈtrævl ˈeʤənsɪ]　**reserve**[rɪˈzɚv]
round-trip ticket[raʊnd trɪp ˈtɪkɪt]　**hotel**[hoˈtɛl]　**airport bus**[ˈɛrpɔrt bʌs]
transportation hub[ˌtrænspɚˈteʃən hʌb]　**see off**[ˈsi ɔf]　**trunk**[trʌŋk]　**airline**[ˈɛrˌlaɪn]
check-in[ˈʧɛk ɪn]　**flight ticket**[flaɪt ˈtɪkɪt]　**passport**[ˈpæsˌpɔrt]　**boarding pass**[ˈbɔrdɪŋ pæs]
aisle seat[aɪl sit]

取到了 **window seat** 靠窗户的位子。我也不知道自己的这种固执是好还是坏，固执可是我的天生气质啊。ー..ー;;

被我惹恼的这位小姐，在给我称 **baggage** 行李重量的时候，说是超重了，要交 **extra charge** 额外费用。我对她耍赖道："别那么较真，差不多就算了～。"结果她不但不领情，而且还恶狠狠地说："要么付钱，要么拿走，快做决定，后面的人还等着呢。"够凶的……。通过这件事，我吸取了一个教训，碰到航空公司的职员，千万别跟他们耍赖或撒娇，他们不吃那一套，最好乖乖按照他们说的办。(我的超级无敌耍赖功夫竟然也有失灵的时候……。ー..ー;;)

接下来就是 **security check** 安检了。不知道怎么了，自己的心里却是忐忑不安的。听说以前有位小姐在接受检查时，安检仪器竟然发出发现疑似易燃易爆品 explosives 的警讯，使得整个机场一度失控。后来大家才发现原来那个小姐本身就是"疑似爆炸物"(在韩国年轻人之间称很胖、很丑的人为"爆炸物")。这个故事信不信由你～。呵呵。

手续都办完了，离飞机 **take-off** 起飞还有一个多小时。如何消磨这一个小时的时间呢？我先去 **exchange** 兑换了一些美金；然后又去了 **duty free** 免税店东看西看，向售货员询问商品的价格，可是我一件都没有买，无非就是利用这种方式打发时间罢了。不知不觉中，时间居然到了！而

---

window seat[ˈwɪndo sit]　**baggage**[ˈbægɪdʒ]　**extra charge**[ˈɛkstrə tʃɑrdʒ]
security check[sɪˈkjʊrəti tʃɛk]　**take-off**[tek ɔf]　**exchange**[ɪksˈtʃendʒ]　**duty free**[ˈduti fri]

我现在的位置离 **gate** 登机口还有一段距离，这下可完了。于是我只好拼命地通过 **moving walkway** 传送带式电梯跑向登机口，就好像某个电影里的场面，最后时刻有惊无险地赶到了登机口。当我满头大汗地赶到登机口时，**final call** 最后呼叫广播里也传出了我的名字。哎呀～真丢人！我差一点就因为没赶上飞机，不得不面对这样的结果：I missed KAL Flight No.745 to Vancouver. 我错过了飞往温哥华的大韩航空 745 班机。

[在飞机上]

实在是太紧张了，想问 **flight attendant** 乘务员要一支烟抽抽，以平静 calm down 一下自己的紧张情绪，结果遭来她一顿臭骂。我就是问问嘛，干嘛那么凶？无事可做，只好睡觉了。一觉醒来刚好碰到乘务员在分发 **in-flight meal** 飞机餐，看来我倒是挺有口福的。饱餐一顿，不知不觉又睡着了。迷迷糊糊中觉得内急，便起身去 **lavatory** 卫生间。气人的是，两间居然都标有

词根 lav "洗"
词根 lav 有"洗"的意思。lavatory 是指飞机上的洗手间，大概是为了祝福大家大便时向冲水一样顺利，才会想到在前面用 lav 这个词根吧。

飞机上都有喔！
所有的东西！

BEER

gate[get]　moving walkway[ˈmuvɪŋ ˈwɔkˌwe]　final call[ˈfaɪnl kɔl]
flight attendant[flaɪt əˈtɛndənt]　in-flight meal[ˈɪnˈflaɪt mil]　lavatory[ˈlævəˌtɔri]

183

occupied 使用中的提示。我原本想冲着门缝喊"失火了"，最后还是忍住了，并无奈地回到自己的座位上。等我再次醒来的时候，马上就要到达目的地了。这次旅行过后，只有一个感受就是：没事做，无聊！只好睡觉睡到目的地为止。

　　飞机 **landing** 着陆的时候我又开始担心了，万一摔倒了怎么办？心里像揣了个小兔子一样，嘭嘭乱跳。为了减少着陆时的冲击力，下意识地把屁股稍稍抬高了一点。结果，旁边的乘客居然奇怪地看着我，心里一定在想，"这小子是不是要放屁 fart。"

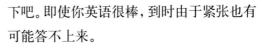

[入境检查]

　　下了飞机以后，要到标有 **IMMIGRATION** 入境检查的地方接受入境检查手续。我有点紧张，要是检查不合格，让我自己回韩国可怎么办？趁排队的时候，我先把护照、机票、入境申请书等拿了出来，紧紧握在手里。轮到我的时候，赶快把这些材料递给了检查人员，他问了我入境的目的以及停留的时间，然后放行。各位也有可能遇到类似的情况，所以现在就好好准备一下吧。即使你英语很棒，到时由于紧张也有可能答不上来。

　　入境检查手续终于办完了。然后我就跑到 **baggage claim area** 行李领取处，站

occupied[ˈɑkjupaɪd]　landing[ˈlændɪŋ]　immigration[ˌɪməɡreʃən]
baggage claim area[ˈbæɡɪʤ klem ˈɛrɪə]

在 **carrousel** 传送带前面等我那粉红色的行李箱出现。为了避免拿错箱子，我特意买了个粉红色的。各位下次去旅行的时候，也像我一样准备一个粉红色的行李箱吧，很显眼，**pick up** 分辨起来很容易。我聪明吧？嘻嘻。

最后我来到了 **clear customs** 海关出入境口接受最后的检查，是不是我长得有点奇怪，海关人员对我检查得特别仔细。这时海关人员问我："Anything to declare？有没有什么需要特别申报的？"我只是简单地说了句："No,nothing.没有。"然后就离开了机场。

[在饭店]

走出机场，已经是晚上8点多了……。想 **on foot** 步行到预订好的宾馆，可是又太远了。再说了，路上万一遇到劫匪 bandit 该怎么办呢？打 **taxi** 出租车去，又怕 **fare** 车费太贵，最后我还是决定坐机场巴士去饭店。

到了饭店，感觉全身酸软，赶快到 **front desk** 前台办理 **check in** 住店手续，想马上回房，洗个热水澡，然后好好睡一觉。"Good evening. I have a reservation under the Wender.晚上好，我以文德的名字预订了房间。"不料前台服务员却说："We gave your room to another guest.您的房间已经有其他人入住了。"天啊，这是从哪来的这么不着边的话？后来才知道，朋友忘记 **confirm a reservation** 确认预订了。饭店服

carrousel[ˈkærəsəl] pick up[pɪk ʌp] clear customs[klɪr ˈkʌstəmz] taxi[ˈtæksɪ] fare[fer]
front desk[frʌnt desk] check in[tʃek ɪn] confirm a reservation[kənˈfɜ·m əˌrezə·ˈveʃən]

务员告诉我现在只剩下**suit**套间了。我再三哀求他们给我一个房间，这时正好有人要**check out**退房，他们对我的遭遇也很同情，于是就把这个房间给了我。我在心里想，回去后一定要和这个朋友断交。真是郁闷，连澡都没洗就睡着了。呜呼～。

第二天早上，我想到饭店的餐厅里吃一顿"丰盛"的早餐，可是只有American breakfast 和 Continental breakfast 两种。我轻声向服务员询问了这两种早餐的区别，**American breakfast**美式早餐准备的是煎鸡蛋和热狗等，而**Continental breakfast**欧式早餐主要是面包、果酱、奶油、麦片等。Continental breakfast 比较便宜，所以我选择了吃这个。文德太可怜了？呜呜～。

[在观光区]

吃完早餐，我决定首先去温哥华**downtown**市中心看一看。我去买**bus ticket**公交车票的时候，听说有一种大众交通一日游使用券的车票，我又找到**ticket office**售票亭。可是排队等着买票的人很多，我只好改用旁边的**automatic ticketing machine**自动售票机买票。可是，当我把**coin**硬币投进去的时候，却发现车票怎么也不出来。后来才明白，原来我投入的是韩币500元，难怪机器没有反应呢。

---

suit[sut]　check out[ʧɛk aut]　American breakfast[əmɛrɪkən 'brɛkfəst]
Continental breakfast[kɑntənɛntl 'brɛkfəst]　downtown['daun'taun]　bus ticket[bʌs 'tɪkɪt]
ticket office['tɪkɪt 'ɔfɪs]　automatic ticketing machine[ɔtəmætɪk 'tɪkɪtɪŋ məʃɪn]　coin[kɔɪn]

别取笑我，马也有失前蹄的时候嘛。

到了 Harbour Tower，我竟然不知道下一步要看什么了。手里有一张一日游券，索性到处逛逛吧。怎么也得把本捞回来啊。^ ^;温哥华的地铁，当地人称之为Skytrain，在美国叫做subway或metro，在英国叫做tube或underground,在香港叫做MTR。怎么每个地方的名称都不一样啊～～！！！我不仅坐了地铁，还乘坐了海上巴士Seabus。坐在上面感觉就像在汉江的游船上，异常兴奋，忙个不停地拍照留念。后来感觉一个人玩真无聊、不起劲，看来还是和自己的情人一起旅游比较好。下次旅游时一定要记得带上自己的情人。嘿嘿。

MTR
香港的地铁叫MTR，是Mass Transit Railway的缩写。Mass是大家的意思，懂吗？~

说到旅游，三天三夜也说不完。最后，我想用去国外旅行时经常用到的会话作为本书的结尾。

>>> 入境检查

· What's the purpose of your visit?您入境的目的是什么?
　– Sightseeing.旅游。
　– I'm visiting relatives.探亲。
· Where will you be staying in the U.S.?您在美国打算住在哪里?
　– I'll be staying at the Hilton Hotel.我将住在希尔顿饭店。
· What's your final destination?您最后的目的地是哪里?
· Is this your first trip to the U.S.?这是您第一次来美国吗?

>>> 领取行李

· I can't find my baggage.我找不到行李了。
· What kind [sort] of baggage is it?什么类型（样子）的行李?
　– It's a pink suitcase.是一个粉红色的旅行箱。

>>> 海关检查

· Do you have anything to declare?你有要申报的东西吗?
　– No, nothing.没有。
　– Yes,I have two bottles of whisky [wine].是的，我有两瓶威士忌（葡萄酒）。

>>> 换钱

· Where is the nearest bank?请问最近的银行在哪里?
· Can I get some change, please?请问我能换些零钱吗?

>>> 交通

· Can I have a bus timetable? 可以给我一份公交时刻表吗？

· Could you draw me a map? 您能帮我画个路线图吗？

· Do you go to the Hilton hotel? 您要去希尔顿饭店吗？

· I'm getting off here. 我在这儿下车吧。

· Please tell me when I should get off. 请您提醒我到站时下车。

· Where is the taxi stand? 请问出租车站在哪里？

>>> 观光

· Where am I now on this map? 请问我现在位于地图的什么位置？

· Where is the nearest subway station? 请问最近的地铁站在哪里？

· How long will it take on foot? 请问步行需要多长时间？

· Can I take a picture here? 我可以在这里拍照吗？

· Could you take a picture for me? 请问您能帮我照张相吗？

· Where is the restroom? 请问卫生间在哪里？

· Please write it here. 请写在这里。

>>> 宾馆

· Can I make a reservation for tonight? 我想预定今晚的房间，还有吗？

· I'd like to stay for five days. 我要住 5 天。

· What's the rate for a room per night? 一晚多少钱？

· Does the price include breakfast? 房费中包含早餐吗？

· Are there any cheaper rooms? 有没有便宜些的房间？

· I'd like to stay one more night. 我想再住一晚。

· What's this charge for? 这是什么费用？

· Can you hold my stuff for me, please? 您能帮我拿一下行李吗？

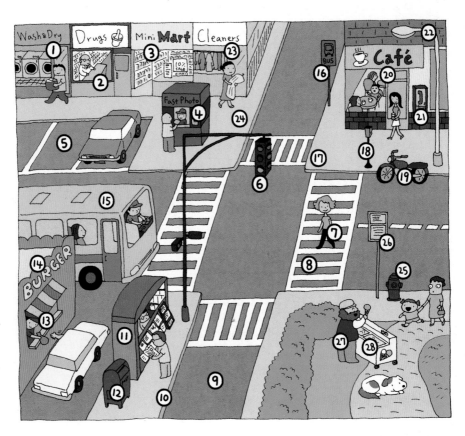

① laundromat 自助洗衣店	② drugstore/pharmacy 药店	③ convenience store 便利店
④ photo shop 照相馆	⑤ parking space 停车位	⑥ traffic light 交通灯
⑦ pedestrian 行人	⑧ crosswalk 人行横道	⑨ street 街道
⑩ curb 路边	⑪ newsstand 报摊	⑫ mailbox 信筒
⑬ drive-tru window 免下车购餐车道	⑭ fast food restaurant 快餐店	⑮ bus 公共汽车
⑯ bus stop 公共汽车站	⑰ corner 街道拐角	⑱ parking meter 停车计时器
⑲ motorcycle 摩托车	⑳ cafe 咖啡店	㉑ public telephone 公用电话
㉒ streetlight 路灯	㉓ dry cleaners 干洗店	㉔ sidewalk 人行道
㉕ fire hydrant 消防栓	㉖ sign 标示牌	㉗ street vendor 街边小贩
㉘ cart 手推车		

■■■■单词表

downtown 商业区

traffic jam 交通堵塞 =traffic congestion

suburb 郊区 =outskirts

picnic 野餐，游玩 =excursion,outgoing

hunt 搜寻，打猎

performance contest 才艺比赛

field trip 实地考察旅行，野外教学

a girl who's run away 离家出走的少女

go backpacking 自助旅行

· I'm going backpacking this summer.

　我准备这个夏天去自助旅行。

travel（一般的）旅行

· travel agency 旅行社

trip 短途旅行

tour 观光旅行

journey 长途旅行

· journeyer 旅客

· journeyman 熟练工

homeless 无家可归的

· I'm going on a four-day three-night trip to Japan.

　我准备去日本旅行四天三夜。

voyage 航海

· Bon voyage 祝旅途愉快。=Have a nice trip.

pleasure boat 游轮

cruise tour 航游

· cruise 巡航

　a cruise liner 巡航线

safari（打猎、探险等）远征旅行

historic site 名胜古迹

theme tour 主题旅行

role-playing 角色扮演

vagabond 流浪者

　=vagrant,tramp,bohemian

nomad 游牧民族，游牧的

honeymoon 蜜月，新婚旅行

Honey 亲爱的

globalization 全球化

visa 签证

travel agency 旅行社

round-trip ticket 往返机票

· one-way ticket 单程票

hotel 饭店

reserve 预定 =book

191

[在机场]

airport bus 机场巴士

transportation hub 交通中心, 交通枢纽

Incheon International Airport 仁川国际机场

see off 送行

check-in 登机手续

trunk 旅行箱

airline 航空公司

flight ticket 机票

passport 护照

boarding pass 登机证

aisle seat 靠过道座位

window seat 靠窗户座位

baggage 行李

extra charge 额外费用

security check 安全检查

take-off 起飞

exchange 汇兑

duty free 免税店

gate 登机门

moving walkway 传送带式电梯

final call 最终广播

[在飞机上]

flight attendant 乘务员

in-flight meal 飞机餐

lavatory 卫生间

occupied 使用中

landing 着陆

[入境检查]

immigration 入境检查

baggage claim area 行李领取处

carrousel (载货) 传送带

pick up 寻找

clear customs 过海关检查

[在饭店]

on foot 步行

taxi 出租车

fare 费用

front desk 前台

check in 入住手续

confirm a reservation 确认预订

suit 套间

check out 退房结账

American breakfast 美式早餐

Continental breakfast 欧式早餐

［在观光区］

downtown 商业区

bus ticket 公共汽车票

ticket office 售票亭

automatic ticketing machine 自动售票机

coin 硬币

subway 地铁

· 美国地铁 subway,metro

加拿大地铁 Skytrain

英国地铁 tube,underground

香港地铁 MTR